TAKE
SHOBO

極上御曹司と恋に落ちる方法
外科女医《ゲカジョ》は拾ったイケメンに溺愛される

連城寺のあ

ILLUSTRATION
SHABON

JN018876

蜜夢
MITSU
YUME

CONTENTS

1	雪の夜の拾いもの	6
2	クリスマスの再会	42
3	モテ期襲来	107
4	不穏な影	144
5	結婚	177
6	治美の品格	222
7	多分、縁と胆力	248
8	クリスマスイブの思い出	261
	あとがき	266

MITSU YUME

イラスト／SHABON

極上御曹司と恋に落ちる方法

外科女医《ゲカジョ》は拾ったイケメンに溺愛される

Gokujyo onzoushi to koi ni ochiru houhou

連城寺のあ
イラスト／SHABON

1　雪の夜の拾いもの

午後二時、白石治美《しらいしはるみ》は医局の自室に入ると、院内のコンビニで買った弁当を袋から出した。いつもは医局事務に昼食の弁当を頼んでいるのだが、今日は早朝から急患があったので忘れていたのだ。

残り物のおにぎり弁当は、お米がパサついているので食欲がわかない。それでも、この時間にコンビニに弁当が残っていたのはラッキーな方だ。治美はペットボトルのお茶を飲んでから弁当を食べ始める。

そういえば、昨日の夕食もコンビニ弁当の残り物だったと思い出す。世間の人達は、三十三歳の消化器外科医がこんなに貧しい食生活を送っているなんて知らないだろう。昼食はコンビニ弁当でも、夜はさすがに洒落《しゃれ》たレストランで食事とか……多分ＳＮＳに載せるような充実した生活をしているに違いないと幻想を抱いているかもしれないが、現実は違う。

（私ってば……どうしても、私生活がキラキラできないんだよね）

最近、同期達が相次いて結婚をしたこともあって、自分を卑下する傾向が強くなっている。

長年片思いをしていた医師は、治美の親友である大病院の一人娘と結婚して長野に行ってしまった。その後交際した年下の男性看護師とは、彼の心変わりが原因で半年で破局した。

我ながら、とことん恋愛や結婚に向いていないタイプなのだと思う。外見はごく一般的で、大勢の中にいてもパッと目につくような華やかさはない。ごく普通に目と鼻と口がついているだけ。二重の目は濃いブラウンで髪の毛はストレートのブラウン寄り。唯一女性らしいのが、ややぽってりした唇か。

男性が守ってあげたいと思うような線の細い体型には憧れるが、あいにく太ってても痩せてもいない。身長は百六十センチメートルで、ごくごく標準タイプの日本人女性だ。

体調が悪くてフラフラしていても、心配はされずに『二日酔いか？』と言われる。……そんな女だ。よって、同僚男性からはほぼ男扱いされている。

「私って多分……そういう仕様なんだよね」

忙しい仕事とはいえ、友人達はそれなりに恋愛をしているというのに……それに引き替え自分は、彼氏はいないしもちろん結婚の予定もない。あるのは仕事だけ。

このパサついた白米よりも水分が無く、なんとなく自分が萎びているようにも感じる。

やりがいのある仕事で、悪友のドクターや仲良しのナースもいて毎日そこそこ楽しい。

しかし、眠れない夜にふと思う。このままベッドで死んだら私はどうなるの？

友人たちは悲しむだろうけど、彼らはすぐに忘れてしまう。いつまでも自分を想ってくれるのは親だけなのだろうか？

このまま何も残さずに歳をとっていくのかと思うと、ズン！　と体が奈落の底に落ちていくような絶望を感じる。

いつもはそんなことを考えないのに、ちょっとした隙をついて悲観的な考えが浮かぶのが情けない。

治美は弁当を食べ終えると、お茶を飲んでしばらくボーッと窓の外の曇天を眺めていた。するとＰＨＳがいきなり大きな音を立てて震えたので、ギョッとして我に返る。慌てて応答すると、病棟看護師からだった。

「先生！　水田《みずた》さんのサーチが下がっています。すぐに来て頂けますかっ？」

「すぐに行く！」

治美はＰＨＳを手にしたまま立ち上がると、急いで病棟に向かった。

病室に入ると、すぐに看護師からバイタルの報告を受け、家族を呼ぶように指示をする。

この患者は癌《がん》の末期で緩和医療を行っていたが、このところ意識障害が続き、寝ている時間が長くなった。おまけに、今朝からは尿の出も悪くなっている。見たかぎりショック状態には陥っていないので、酸素投与の指示をする。

数日前にソーシャルワーカーを交えて家族に意向を聞いた時には、痛みを取り除く緩和ケアを中心にして積極治療は行わないことで了承を得ていたが、この状態では再度病状説明が必要だろう。

　患者本人からは、意識の明瞭な時期に希望は聞いている。

『先生、痛みがないようにしてくれたら嬉《うれ》しいです。苦しむ姿を家族に見せたくないんです』

　自分の命が消えていく……狂って叫び出したいほどに辛いだろうに、患者はどこまでも家族のことを一番に考えていた。

（今夜が山かな……病状説明、辛いなあ）

　家族に説明をして、患者の命が今日か明日には尽きそうだと話さなくてはいけない。患者を助けることが医師の仕事だけれど、それとは別に危篤状態になった患者の家族に死を受け入れる準備をしてもらう役割も医師にはあるのだ。

　そしてそれは、余命宣告をすることの次に辛く困難なことだ。

　その後、やってきた家族に言葉を尽くして説明をした。ありがたいことに、家族は治美の提案を受け入れてくれた。

　生を終わらせようとしている患者をできるだけ静かに見送りたい。家族はそう言って涙を流したのだった……。

　午後六時十五分、治美は病棟のスタッフステーションに戻ると手洗いを始める。丹念に時間をかけて洗いペーパータオルを数枚取り水気を拭きとる。その後パソコンの前に腰を掛け、数分前に看取った患者のカルテを開いた。

　そばにいた夜勤の看護師に声をかける。

「合田《ごうだ》さん、死亡診断書を書くから出してくれる？」

「はいっ」

　いつもは軽口を叩《たた》きあう仲のいい看護師だが、今日は少し強張った表情で診断書を差し出してきた。

「先生、お疲れ様でした……」

　患者に対する治美の強い思いを知っていたからこその労《ねぎら》いの言葉だった。

「うん、ありがとう」

　治美は看護師に微かに笑顔を向けて診断書に記入を始めた。


　その二時間後、治美は私服に着替え病院を後にした。街は寒さで凍りついている。いつもならタクシーを使うのだが、今日は騒つく胸を鎮めるためにマンションまで歩くことにした。

　この時間ならいつもは賑《にぎ》やかな繁華街も、今夜は雪の予報が出ているせいか人通りが少ない。治美は凍てつく街をヒールの音を響かせて進む。

　胸のザワつきは未だ治まらない。生身の体は明るい夜の街にいるのに、心はまだ病院の暗い廊下にいるみたいだ。

今日亡くなった患者は治美と同じ三十三歳の女性だった。胃の痛みで来院して内視鏡検査をしたら、腫瘍が見つかり内科から紹介された。

娘さんが三歳になり、退院できたら二人目の妊活をしたいと笑顔で話していたのに、スキルス胃癌であっという間に帰らぬ人となった。

治美が診た時にはすでに腹膜《ふくまく》に癌細胞が散らばっていて手術はできず、化学療法を行ったもののリンパ節や肝臓に癌が転移してしまった。癌の増殖スピードが早すぎて治療が追いつかなかったのだ。

臨終を告げた後で家族に礼を言われ神妙な顔をして耐えていたが、内心では動揺して泣き出しそうだった。

絶対に助けなければいけない人だった。ぐずって泣き疲れ、祖母の腕の中で眠る幼児の姿が頭から離れない。

幼子の汗で濡《ぬ》れた前髪を、優しく撫《な》でる母はもういないのだ。

（死なせてしまった……）

我が身の無力さを嘆き、叫び出しそうになる。

治美は気がつくと自宅マンション近くのコンビニエンスストアまで辿《たど》り着いていた。ふと真っ暗な空を見上げると雪がちらほらと舞って落ちてくる。

今夜は酒でも飲まないと眠れないだろう。安いワイン二本とつまみを買いコンビニを出た。ふと見ると、店の前にあるベンチに仕立てのいいコートを着た男性がしどけない姿でもたれかかっていた。

今夜は、このままベンチで寝てしまったら確実に凍死するレベルの寒さだ。

（いくらなんでも、人通りがあるから誰かが助けるよね）

そう思って通り過ぎようとした。しかし……医者の習性とは難儀なものだ。治美はベンチまで戻り、男性に声をかけていた。

「あの、失礼ですが……」

男性は全く反応せずに目を閉じていて、アルコール臭が鼻をつく。声をかけた手前、この男を安全な場所に移動させる必要がある。治美は肩を強く揺さぶった。

「起きて下さい！　こんなところで寝ると凍死しますよ」

「う……ん」

男性はまだ夢の中にいるようで目を開かない。治美は両肩を摑《つか》み思いっきり揺さぶった。

男性の首がカクカクと揺れる。……すると、いきなりパチっと目が開かれた。

酔っ払いにしては綺麗《きれい》な、白目と黒目のコントラストのはっきりした美しい切れ長の目だ。

（わ、この人……すごいイケメンだわ）

治美が見とれている間に男性の目の焦点が合い、こちらを見るなりガバッと体を起こし抱きついてきた。

「ええっ？　なっ、何？」

万力のような力で腰を抱かれて身動きがとれない。

「ちょ……ちょっと！　あの……っ、離してもらえませんか？」

丁寧な口調でお願いするも力は弱まらない。おまけに何かボソボソと呟《つぶや》いている。耳を澄ますと、若干涙声で誰かの名を呼んでいる。

どうもクセの悪い酔っ払いに捕まってしまったみたいだ。身なりと顔面がいいから油断したのがいけなかった。

「ちょっと！　離し……っ」

突き飛ばそうとすると、男性の声が明確に耳に届いた。

「サーヤ、サーヤ、どうして死んでしまったんだ……」

「えっ？」

『死』というフレーズがやけに胸に響く。男性の手を振り解こうとした治美の動きが完全に止まった。

仕事で失敗をしてやけ酒で酔い潰れているのかと思ったら、自分と同じく誰かが亡くなって、辛さのあまりに深酒をして前後不覚になったのだろうか？

男性からはアルコール臭と共に、コロンの芳しい香りが漂い治美の鼻をくすぐる。酔い潰れていてもイケメンで、心なしか育ちの良さというか上品さが漂ってくるではないか。

ただのサラリーマンではないだろう。ましてや犯罪者や危ない人物にも見えなかった。

人を外見で判断してはいけないと郷里の母に口すっぱく言われていたのに、治美は男性の外見に惹かれ同情してしまった。

このまま放置したら男性はどうなるのだろう？　治美は自分に縋《すが》り付くイケメンに声をかけた。

「仕方ないなあ、ウチに来る？」

そう尋ねると、『うん』と可愛く頷《うなず》くではないか。

今夜の治美にまともな判断はできない。いつまで経っても離れない酔っ払いに肩を貸しマンションに連れ帰ったのだった。


玄関に入りコートを脱がせ、リビングのソファーに座らせ冷蔵庫の水をとりに行く。戻ってみると、男はソファーのアームに頭を預けて横になっている。

体を起こして水を差し出す。

「はい、お水飲んで。ねえ、目を開けて」

「……はい」

俯《うつむ》いて目を閉じたまま行儀良く返事をするが、瞼《まぶた》が開かないようだ。なんとなく面白くなって、両肩を揺らしてまた声をかける。

「もしもーし、お水飲んだ方がいいと思うよ、目を覚まして！」

「はい」

今度はパチっと目が開いた。酔っているから目の端が少し赤く染まり、まるで和装のメイクをしているみたいに色っぽい。男性はソファーに座っていて治美は跪《ひざまず》いているものだから鼻先がくっ付くほどの至近距離で見つめ合っていた。

（何この色気？　こんなに身長が高くてしかもがっしりした男だっていうのに、この顔ときたら……）

「はい、お水」

男性は治美から目を離さずに、差し出す水を受け取った。そして、ようやく正気に戻ったのか、少し掠《かす》れた声で尋ねる。

「ここは……？」

「ここは私のマンション。コンビニのベンチで寝ていたところを連れてきたのよ。今夜は雪で、凍死されると夢見が悪いから」

「そうだったのか……」

「どうしてあんなところで寝ていたの？」

「あんなところ……？」

認知症患者みたいに、こちらの質問にオウム返しを繰り返している。会話にならず、治美は少しだけイラッときて強い口調になった。

「だから！　コンビニのベンチにどうして寝ていたのかって聞いたんだけど」

「……憶えていない」

「じゃあ、サーヤさんは？」

酔って呟いていた名前を言うと、男はハッと顔を上げた。

「どうしてサーヤを知って……？」

「ベンチで声を掛けたら、私を見てサーヤって呼んで泣いたのよ。もしかしてその人に振られてやけ酒をしたとか……」

男は目を伏せて、心なしか涙目になっている。わりと失礼なことを言われているにもかかわらず、怒るでもなくボソボソと治美に説明をする。

「サーヤは猫だ。今朝病院で看取った」

「猫……！　そうだったの、私ったらバカみたいなことを言ってごめんなさい。それはご愁傷様でした」

「いや……」

愛猫を亡くし、悲しくてたまらなくて酒を浴びるように飲んでしまったらしい。気持ちはわかる。ペットと患者とでは思い入れも違うだろうが、治美も患者を亡くして心が乱れて耐えきれず、やけ酒をしようとワインを買ったのだから。

ペットロスで凍死寸前とは愚かだと思うが、よほど可愛がっていたのだろう。治美はふと気になったことを男に尋ねる。

「今朝看取ったって……猫ちゃんの亡骸は……？」

「俺の仕事の関係で明日から家を留守にするんだ。だから、夕方に火葬した後は病院で預かってもらっている」

「そうなんだ」

「アイツ……もう骨になってしまったけど、一人ぼっちで家に置くのは可哀想だ」

そう言って男はまた涙ぐむ。治美もついもらい泣きをしそうになった。

「いいから飲もう！　と言いたいところだけど、もうかなり飲んでいるよね？　お茶でも淹《い》れようか？」

治美はワインを開けて男に勧めようと思ったが、泥酔していたから酒はもう飲まない方がいいかもしれない。

「いや、まだ飲める」

凍死を防ぐために拾って家まで連れてきたのに、酒の相手をさせて急性アルコール中毒にでもなられては医師の面目丸潰れだ。しかし、男は断固飲むと言って譲らない。

「そう？　実は私も担当の患者を死なせて落ち込んでいたんだ」

気持ちを悟られないようにとワザと軽く言い放つと、男はハッと治美を見た。

「君は医者か？　亡くして落ち込むなんて、友人だったのか？」

「友人じゃないけど、私と同じ歳の主婦だった。可愛い三歳の女の子とご主人を残して亡くなられた……」

一瞬にして思いが溢《あふ》れ喉が詰まる。そんな治美に、男は近づいて肩に手を置く。

「思い入れがあったんだな？　だから酒を……俺も付き合うから飲めよ」

男は治美の気持ちをすぐに理解してくれる。

「……じゃあ一杯だけだよ」

男にワインを注ぎ、自らもグイと飲む。今夜は辛い酒になると思っていたのに、飲み相手がいるだけで安いワインが旨く感じる。

「患者はどんな病気だったんだ？　あ、個人情報だから聞かない方がいいよな。悪い……」

「ううんいいよ。名前は言わないし、どうせ話しても忘れてしまうでしょう？　その人は癌だったんだ。若いから進行が早くて、あっという間だった」

「そうか……それは医者としても辛いな。手術はしたのか？」

「ううん。最初からそれさえもできないほどの状態だった。化学療法も効かなくて、緩和療法しかできなかった……」

「じゃあ君は外科医なのか？　女性で外科医って珍しくないか？」

「そう？　珍しいかなあ」

こちらが話しやすいように、会話をコントロールされているのかと思えるほど、男との会話はスムーズだ。それに知識があり話題が豊富で、いつまでも話していたいほど。

治美は男の知性の一端を垣間見て感嘆したが、すでに酔っ払っているのでそれさえもどうでもよくなっている。

完全に意気投合した二人の杯は進む。とはいってもさすがに男は一杯だけで抑えているようだ。

ほぼ治美だけで一本のワインを飲み干した後も会話が止まらない。

男が弁護士資格を取得したにもかかわらず、実家の会社に就職して今は重役だと聞いて、治美は耳を疑った。

「……えっ、じゃあ弁護士になれたのに、それを捨てて家業を継いだってこと？　何それ、もったいない」

実家の会社ということは、せいぜい一族経営の中堅会社だろうと勝手に想像していた。

「そうか？　まあ、そうだよな……」

なんとなく歯切れの悪い男に、治美がツッこむ。

「本当に弁護士資格あるの？　なんだか怪しいなあ」

治美の言葉に男は苦笑して鞄《かばん》の中の名刺を探す。一枚取り出そうとしたが手が滑って床に何枚か名刺をばら撒《ま》いてしまう。

「あーあ、しょうがないなあ、酔っ払いめ」

「自分こそ酔っ払いのくせに」

二人は名刺を拾おうと床にかがんだが、互いの頭がゴツンと当たって治美は驚きと痛みで思わず声を上げた。

「痛ーい。この石頭」

「ハハッ！　ごめんごめん」

そう言って治美の頭を大きな掌で撫でる。髪の毛を男性に撫でられるなんてすごく久しぶりだ。一瞬ときめいた自分を内心で笑いながら、治美は男の手を振り払いゲラゲラと笑い出した。

「ちょっとヘアスタイルが乱れるじゃないの」

「何を今更、最初からボサボサだぞ」

「嘘《うそ》っ」

初対面のいい大人の男女が、酔っ払っているとはいえ、こんなに無邪気に笑い合えるなんて奇跡みたいだ。

(何なのこの人？　めちゃくちゃ私との相性よくない？)

ふと正気に戻って男の顔をまじまじと見た。治美の動きが止まったものだから、笑っていた男も真顔になって二人は数秒間見つめ合う。

滑らかな肌に高い鼻梁《びりょう》と切れ長の目、男性にしては勿体《もったい》無いほどに整った美しい顔だ。治美の勤務先の医師の中にも超美形の男性はいるが、それと並んでも遜色ない。

(こんなに綺麗な人って、やっぱり実在するんだね……でも、触ったら消えるんじゃないかな？)

ふと馬鹿なことを考えて自然と手が伸びる。男の頬に触れ、確かな温かさを感じてホッとした。

「あったかいね」

治美がそう言って口角を上げると、男の顔が近づいてあっという間に唇が塞がれた。

「んんん……っ！」

一瞬、触れた唇の感触にうっとりしかけたものの、治美はすぐに我に返る。男の肩を力を込めて押すと、熱源が離れ至近距離で二人は見つめ合った。男は悪びれもせずに治美を見つめていたが、唐突に名を尋ねる。

「名前を教えてくれないか？」

「名前？　私の？」

意外な問いかけに二度聞きすると男は頷いた。

「……治美」

苗字を教えるのは野暮だと感じた。表札を見ればわかるのだから。

「季節の春？」

どうしてそんなことを聞かれるのか分からないまま素直に答える。

「さんずいの治めるに美しいで、治美。色気の無い名前よ」

「いい名前だ。俺は一真《かずま》。横いちに真面目のま」

「真面目……ふふっ」

真面目とはかけ離れたことをしているので、つい笑ってしまう。そんな治美に構わず男は話を続ける。

「なあ治美、俺たちは似たもの同士だ。そうは思わないか？」

確かに今夜の二人は、互いに似た悲しみを抱えてはいるけれど、実際の生活では全く接点もないし似てもいないと思う。治美は首を振って男の言葉を否定した。

「それはどうかなあ。私はしがない外科医だけど、貴方は弁護士資格のある重役でしょう？　似たところがあるとは思えない。というか、この会話はどこに向かっているわけ？」

男は嬉しそうにフフッと笑う。

「治美と俺の職業に乖離《かいり》があるとは思えないけど、そういう率直なところはいい。それにキスした時の感触は蕩《とろ》けそうでヤバかった」

「な、何を……？」

「俺は治美を抱きたい。なあ、何もかも忘れて俺と気持ちよくならないか？」

「……っ、本気なの？」

「本気だ。俺に抱かれるのは嫌か？」

嫌も何も、そんなこと考えてもいなかった。治美は男の唐突な提案に狼狽《うろた》えすぎて、カァッと体が熱くなる。

「い、嫌とか……そんなんじゃないけど、貴方はかなり酔っているからそんなことを言うんだよね？」

男を正気に戻そうと治美は必死に言い募るけれど、男は色気を全開で放出して艶然と笑いかける。

「酔ってはいるが、判断能力は残っている。なあ、それより名前で呼んでくれないか？」

「な、名前？」

近づいてくる男をかわそうと治美は後ずさる。完全に捕食動物と化した男の甘い攻撃に勝てそうにない。

「か、一真さん、酔っ払いは必ず言うの『俺はまとも』だと。判断はできたとか、ちゃんと前は見ていたとかね。でも、そう考えること自体が、まともじゃないのよ。それに、私とセックスなんかしたら明日の朝には間違いなく後悔すると思うから、そんな考えは捨てた方がいい」

「治美は俺と寝るのが嫌なのか？」

「だから、嫌とかそんなんじゃなくって……」

「じゃあ、いいんだな」

嫌だと言えばいいのだが、元来正直な性格のために嘘はつけない。嫌なわけじゃないけれど、さっき出会って拾ったばかりの酔っ払いと事に及ぶわけにはいかない。

（しょうがない。タクシーを呼んで追い返そう）

治美は立ち上がり一真に手を差し伸べた。

「とにかく立って」

言われるがまま治美の手を取り一真は立ち上がる。少しふらついているのは酒が残っているためだろう。

（やっぱり酔ってるんじゃない！）

内心で毒づきながら、厄介なイケメンを玄関に誘う。

「どこに行くんだ？」

「玄関。もう大丈夫みたいだから、タクシーを呼ぶわ。猫ちゃんは気の毒だったけど、そこまで愛されたら本望だと思うわよ」

「……ありがとう」

玄関ドアを開けた治美に軽く頭を下げて、一真は礼を言う。これで納得してくれたみたいだ。治美は小さく息を吐いて一真の手を離した。

「じゃあ元気で」

一旦背中を見せた一真がクルッと振り返り、満面の笑みで首を傾げて治美を見た。

「酔いは覚めつつあるから、これは酒のせいじゃない。俺は治美がすごく気に入った」

「……え？」

完全に油断していた。放たれた言葉に戸惑っていると一真が身を寄せてきて治美の肩を摑んだ。いきなり唇が塞がれて強く吸われる。声を出そうとしたのだが、スルリと入ってきた舌に声を奪われた。

「んっ……んんん……っ」

固く引き締まった唇の感触が気持ちよくて『もっと』とねだりそうになる。唇を強く押し付けられて互いの粘膜が触れ合うと、ゾクリ……と背に電気が走った気がした。

甘い果実を舌先で転がすみたいに、水分を含んだ淫らな音が治美の耳に届く。離れそうな唇を追って治美が顔を近づけると一真が微かに笑った気がした。

後ろ手で鍵をかける音が耳を掠める。膝の裏に手が添えられたと思ったら横抱きにされてソファーに運ばれる。優しく降ろされて見上げた顔は色気がダダ漏れの甘い表情に変わっていた。

これから治美を襲う気満々でジャケットを脱いでその辺に置き、ネクタイをもどかしそうに外すと床に放り投げる。しかもその間、逃げたら許さないとでもいうように治美から目を離さない。

（この人、こんな表情をするんだ）

この顔を時折思い出したら心臓に悪いかも……と思うほど。まるで最高に美味しそうな料理を前にしたみたいに治美を見つめる顔はとびきり美しい。こんなに全てが揃《そろ》った男が現実にいるのかと我が目を疑うほどだ。

聞かされた経歴は嘘かもしれないし、彼はもしかして危険な男なのかもしれない。真っ当な人はこんなことはしないから、受け入れてはいけないよ……冷静な治美がそう警告するけれど、もう走り出した欲情は止まれない。

治美はソファーに横たわりながら一真の堅い体を受け止めていた。キスが深くなり熱い掌がセーターの裾から入り込んで素肌を弄る。肌の感触を楽しむように優しく触れられるものだから、じわじわと悦楽が増していく。

ブラのホックが外され乳房を撫でられて思わず甘い声が漏れてしまった。

「あ……っ、やぁ……」

セーターは完全にたくし上げられて首元でクシャクシャになっている。白いお腹や乳房が視線に晒《さら》されて肌が興奮で粟《あわ》立つ。

「こんなに綺麗な体を隠していたなんて……」

掠れた声で呟くからこちらも恥ずかしくなってきた。

「ねえ、もっとキスして」

恥ずかし紛れに強請《ねだ》ると唇が落ちてくる。キスは深まり、二人は荒い息で互いの体を掌で確かめ合っていた。この時の治美は完全に酔っ払っていた。酒と、一真の吐息に……。角度を変えて続くキスは甘くて優しい。でも、もっと激しいキスが欲しい。もっと私を求めてほしい……治美は一真の上質なシャツの襟元を摑んでグッと引き寄せた。

それが合図になったのか、体がピッタリと押しつけられ、そのままソファーから落ちて床に倒れそうになる。

一真の片手が後頭部に添えられて、治美の体はゆっくりと床に着地した。

「なあベッドはどこだ？」

「こっち」

治美は立ち上がり、一真のシャツの裾を摑んでリビングから廊下に出る。玄関のすぐ近くの部屋がベッドルームだ。

治美の普段の服装はシンプルに徹しているし、インテリアにも強いこだわりはない。しかし、ベッドルームの寝具にはこだわりがある。シーツは最高級のエジプト綿で統一しているし、羽布団は安心の日本製でふかふかだ。

そこに腰を掛けてセーターを脱ぐ。タイツとスカートも脱いでチェストの上に置いた。

一真は立ったままシャツを脱ぎ、ベルトを外すとスラックスも脱いで無造作にその辺に放り投げている。

上等なジャケットやネクタイもリビングの床に投げていたので大丈夫だろうかと心配したが、見るからに上質な素材なのでシワにもなりにくいだろうから、まあいいかと思い直す。

冷静に観察していたのではなくて、焦《あせ》るとどうでもよいことが目に付く妙な性格のせいだ。今だって、全裸になった一真を前にして心臓が爆発しそうなほどドキドキしているのにシーツの皺《しわ》が気になっている。

(初対面の男とこれから寝るんだよ、本当にいいの私? でも……この人の体すごい……触ってみたい)

そうなのだ、引き締まった筋肉が長身を覆い、腹筋は綺麗に割れている。むしゃぶりつきたいほどにいい体が目の前にあるわけで……それに、そそり勃った男性器はとても大きくて、治美は妙に緊張して喉がカラカラになった。

ベッドに腰をかけた一真は治美のブラを取り去ると、乳房の重さを量るように撫でたあと長い指で全体を包んだ。乳房は大きな掌に包まれて形を歪《ゆが》ませていく。指先で先端を摘まれて治美は思わず声を上げた。

「あぁっ……!」

乳房を愛撫《あいぶ》する一方で、唇は首筋を這《は》い鎖骨へと下りていく。酔いで少し色づいていた肌は悦楽が増すごとに熱を孕《はら》みさらに色を濃くしていく。

両手で乳房を突き出され、紅く色づいた先端が口に含まれる。熱く濡れた舌で転がされ強く吸われると甘い刺激に思わず声が上がる。

「あッ……！　あぁっ……あ、やぁ……ん」

「可愛いなあ、もっと声を出してよ」

痺《しび》れるような快楽を与えられて、ガチガチだった体が蕩けていく。治美は一真の髪の毛に指を這わせた。

もっと、もっと……触ってほしい。アルコールが残っているせいか、気持ちよすぎておかしくなりそうだ。体がベッドに沈み込み、無防備な体勢のままで乳房への愛撫が繰り返される。

「ああっ！　あぁ……ん、ぁや……、気持ちいい……っ！」

「俺も。なあ、触ってくれないか？」

手を握られて下腹部に誘導される。治美の手が熱く息づく局部の先端を掠めると、一真は目を閉じて声を漏らす。

「ああ……」

「気持ちいい？」

治美が問うと、一真の目の周りがほんのりと紅く染まり、かすかに微笑む。

（やだもう。なんなのこの色気）

「すごく気持ちいい。もっと触ってくれ」

　要求されるがまま先端から根元へ両手でマイクを握るように撫で下ろすと、一真が
「うっ……」と呻《うめ》いた。

　先端から漏れる粘っこい液のせいで両手が濡れるけれど全然気にならない。自分が男を感じさせているのだと思うと、なんだか余計に興奮してきた。

「治美は乳首を吸われるのが好きなんだな」

「や……！」

　身も蓋もない言い方をされ、恥ずかしがる治美を見て一真は喜んでいる。また乳房の先端が音を立てて吸われ、喘《あえ》ぎながらも治美は一真の局部を両手で摑んで上下に動かした。互いに悦楽を与え、貪りながら蜜を滴らせていく。まるで動物みたいに。

　一真の局部が掌に余るくらいに怒張していくのがわかって、治美の体の中から欲情が込み上げてくる。

　早く挿れて欲しいと思うけれど、それは言えない。治美が身をくねらせて喘いでいると、一真が切羽詰まった声で囁《ささや》く。

「挿れたい。いいか？」

　頷いて膝を立てるとクスッと笑われる。

「治美は素直だな」

いまだかつてそんなふうに言われたことはないが、挿入しやすいように膝を立てたのを笑われたのだとわかって頬が染まる。

「だって……」

「からかってないよ。本当に素直で可愛いと思ったんだ」

熱く滾《たぎ》る先端が滑る秘所に擦り付けられて思わず腰が跳ねた。

「あぅ！」

おかしな声を上げたのが恥ずかしくて、また頬が染まる。仕事をしている時の男まさりな治美はここにはいない。

一真の熱い剛直が蜜口を広げながら入ってくる。滑った中壁を擦りながら奥に腰をすすめるものだから、気持ちよすぎて思わず声が漏れる。

「んっ……あぁ……っ」

最奥に届きかけてまた腰を引き、グン……と中壁を突かれるたびに治美の体がビクビクっと震える。アルコールのせいなのか、感じすぎて全身が震えてくる。治美は何かに摑まりたくて、一真の腕に手を掛け浅い呼吸を繰り返していた。

「はぁっ……はぁ……んぅ……っ……あぁッ！」

愉悦に霞《かす》む目を開くと一真と目が合う。抽送を繰り返す間ずっと互いに見つめ合っていた。一真の瞳に囚われたみたいで、治美は目が離せない。

一真はまるで、治美の表情の変化を全て見落とすまいとしているみたいだ。

出会ったばかりで、こんな淫らなことをしているのに、一真の瞳はまるで……何かの想いを秘めているように感じられて、治美は思わず問いかけていた。

「どう……して……」

それには答えず、一真は綺麗な顔を少し歪めて、苦しいようななんともいえない表情でこちらを見つめている。

「治美の中……すごい……っ、気持ちよすぎてイキそうになる」

「あんっ……あ、や、私も……っ、気持ちいい……のぉ……」

腰を打ちつけられながら、揺れる胸を摑まれてやわやわと撫でられる。唇が塞がれて、喘ぎ声がくぐもる。

「ごめん……ゴムしてない」

「……え？」

（あっ！　だから余計に気持ちがいいんだ！）

ゴムなしの交わりなんて、危険日ではないけれど色々な意味でマズイ。治美は我に返って、離れようと一真の胸を押した。しかしその力は弱く、おまけに激しい快楽に判断が鈍る。

（だめ……離れなきゃ……！　でも……っ）

剛直でナカを抉《えぐ》るように突かれると、極甘な悦楽に背がしなる。

「ああっ……！」

「治美の中が気持ちよすぎて、ごめん止められない」

「あんっ……！　と、止めてっ……あ、あぁっ……！」

そう言いながらも、体は正直だ。内壁は剛直に絡みつき、離れまいと締め付けている。気がつくと、手で一真の胸を押しつつ腰に足を絡ませるという矛盾した体勢になっていた。

しかし、それを笑う余裕は二人にはもうなくて、ただ体を絡ませ合って貪欲に快楽を貪るのみ。

「……っ！　イク……ッ……はる……み……」

「あぁっ……あぁぁ……っ！　はぁん……あっ……あぁぁーーっ！」

ほぼ同時に果てた二人は、しばらく息を弾ませて横たわっていた。

酒のせいで頭がおかしくなっていたのか、一真との行為はあまりにも気持ちよくて体の相性はあつらえたようにピッタリだった。

治美は満たされた感覚の中、自分を抱き寄せる熱い体に擦り寄り体を預けた。きつく抱きあい余韻を貪っているうちに……襲ってきた睡魔に勝てず眠りにおちていったのだった。

ふと喉が渇いて目覚めると、一真が身支度を調えてベッド脇に立っていた。自分の寝室では普段見慣れないものだからギョッとして声が漏れる。

「うわっ！」

「起こしてごめん。これから出なくちゃいけないんだ」

「えっ……？」

「長期出張で空港に向かう」

そんなことを言っていたような……。治美はまだ眠くて頭がぼんやりしているものだから、落ちてくる瞼を必死にこじ開けて一真の顔を見ていた。すると、手が伸びてきて髪の毛を優しく撫でられる。女の子扱いされているようで、気恥ずかしい。

治美はわざと憎まれ口を叩く。

「ねっ、猫じゃないし……」

一真はクスッと笑うと、ベッドルームの灯りを暗くした。

「じゃあ、行ってくる」

そう言ってベッドルームを出ていったが、リビングに置いていた鞄やコートを手に寝室に戻ってくると、目を閉じていた治美の肩を軽く揺さぶる。

「悪い！　俺が出た後、鍵をかけておいた方がいい。玄関まで歩けるか？」

「あ……うん」

フラフラと起き上がりベッドから下りてめちゃくちゃ寒いことに気が付く。薄暗い部屋の中で自らを見下ろすと素っ裸だった。

「あっ……！」

慌ててその辺に転がっていたカーディガンを肩にかける。そんな治美を一真は笑って見ていたが、玄関先でチュッと軽いキスをしてさっさと出ていった。外から「鍵！」と声がしたので慌てて鍵をかける。

それで安心をしたのか、足音が遠ざかっていくのがわかった。

「……行っちゃった」

感傷に浸るでもなく、治美はそそくさとベッドに戻り目覚ましをオンにしたのだった。


朝、目覚ましの音で目覚めると、カーテンの隙間から刺す明るい日差しが眩《まぶ》しくて目が潰れそうだ。

渋々起き上がりカーテンを開けると、昨夜あんなに降っていた雪は跡形もなく消えて気持ちのいい晴天が広がっている。

冷蔵庫から冷たい水を取り出してグビグビと飲むと目が冴《さ》えてきた。それでもふらつく体で熱いシャワーを浴びる。髪の毛を洗っている時に、ふと足の間からドロリとした液体が流れ出てギョッとした。生理かと思って視線を落とすが赤く染まってはいない。

「あっ、そうか！」

治美は馬鹿みたいに大きな声を上げて、昨夜の行為をはっきりと思い出した。昨夜の男、一真から放たれた精だ。

「しまった！　ああ、私ったら……」

夢から覚めて現実に戻れば……気分は最悪だ。

しかし、自分の浅はかさに呆《あき》れても時は待ってくれない。治美はさっさとシャワーを終えて洗面室で身支度を開始した。

リビングでは、テーブルの上の転がった空のワイン瓶や散らかった部屋を目にして、やっぱり昨夜の夢みたいな出来事は全て現実だったのだと落ち込む。

(私のバカ！　医者のくせに、ゴム無しセックスの危険性を一番よく知っているくせに。あぁ……もうっ！)

気だるい体で病院に出勤し、真っ先に院内のコンビニに向かう。栄養ドリンクを買い医局に上がると研修医の薬師神《やくしじん》が駆け寄ってくるが、今日は彼の相手をする気力はないので無視を決めこむ。

「あっ、白石先生……」

「薬師神君、悪い！　忙しいんだ」

涙目の薬師神を置き去りにして、さっさと外来に向かう。

栄養ドリンクの次は極甘のコーヒーが必要だ。自販機でアルミ缶のコーヒー飲料を買い中待合に入った。これから怒濤《どとう》の外来が始まる。

四時間後、外来診療を終わらせて医局に戻る。頼んでいた弁当を慌ただしく受け取り自室で食べていると、同僚の外科医である合田が入ってきた。

「お疲れ、元気か？」

「えっ？　げ、元気だよ。合田氏が私の体調を心配するって何事？　天変地異が起こりそうで怖いからやめてよ」

「相変わらず失礼なヤツだな。美月が白石の様子を見てこいって言うから来てやったのに」

美月は合田の妻で、昨日治美を労ってくれた病棟看護師だ。妙に気が合う飲み友達の一人でもある。

「大丈夫、私は元気だよ」

「そのようだな。酒臭いけど、二日酔いでもなさそうだし」

昨夜の酒はバレているようだ。

「やっぱり臭い？　診察中はマスクしていたからセーフかな？」

「さあな。白石のキャラなら少々酒臭くても許されるだろう」

（えっ、私のキャラって一体……？）

聞きたいが怖くて聞けない。それでも、合田なりに心配してくれたのだろうから一応礼を言っておく。

「……とりあえず、ありがとう。それより薬師神君に何をしたの？　今朝見かけたらめちゃくちゃ涙目だったけど」

「白石に泣きついたのか？　あいつは全く……。患者を間違えてリハビリオーダーをしたので叱りつけた。自由に動き回れる糖尿病患者に、寝たきり患者用のリハをオーダーしてどうするよ？」

「マジで？　理学療法士が首をかしげるね」

「ああ。理学から速攻で通報がきたけどな。じゃあ、俺は行くわ」

言いたいことだけ言って合田は出ていく。治美は弁当を食べながら、これが二十四時間ぶりの食事だと気がついて愕然《がくぜん》とする。昨夜は酒しか口にしていなかったからだ。

（私ったら……医者のくせに、食生活が最悪だよね）

生活面でも色々とダメな点が多い。恋人ができないのは、意外とこんな生活を見抜かれているせいかもしれないと、ちょっとだけ反省した。

「今日は買い物をして帰ろう！」

とりあえず宣言しておく。

その夜はスーパーで沢山買い物をしてマンションに帰りついた。空っぽの冷蔵庫に食べ物を押し込んで部屋の片付けを始める。ベッド周りのリネンをまとめ洗濯機に放り込もうとして、体液のすえた匂いに気が付いた。

昨夜の絡み合いが蘇《よみがえ》って、顔から火が出るほどに熱くなる。

男の体の熱や、甘いため息。固く引き締まった体、そして……。

「あーダメダメッ！　思い出すなってば！」

あれは夢だ。もう夢にしてしまおう。その方がいい。

男は朝早くに慌てて出て行ったではないか！　出張も嘘に違いない。きっと朝になって自分のしたことを激しく後悔して逃げ帰ったのだろう。

海外出張や弁護士資格ありの重役なんて出来過ぎで現実味がないし、そんなハイスペックな男が酔ってコンビニのベンチに落ちているはずがないと思う。

その証拠に、もらったはずの名刺はどこにも見当たらない。

昨夜の男が実在していた証拠は、シーツに残ったすえた匂いだけなんて、情けないにも程がある。

治美は自分が傷つかないために、昨夜の出来事を『いい思い出』ではなく『思い出したくない過去』に置き換えてしまった。

期待して傷つくのは、もう嫌なのだ。

それから数日経っても男からの連絡はなかった。当たり前か、携帯番号を教えた覚えもないし、お互いの勤務先も知らないのだから。

おまけに……今更なのだが、ゴムなしセックスのリスクに震えている。

(私のバカ……)


その翌々日、治美は外科部長から休みをもぎ取り、知り合いの医師を避けて隣町の婦人科を受診した。幸い性病はなく、ホッと胸を撫で下ろした。

おまけに……婦人科受診の翌日に生理がきたのだが、なぜか安心するよりも落胆する気持ちの方が強かった。

(安全日だったし、妊娠……やっぱりしてなかったんだよね)

正直、誰かに愛されたいと願う気持ちはある。それに、未婚でもいいから自分の子供を産みたいし、育ててみたいという思いはあった。今回、結婚もせずに一気に子供を授かれるチャンスに遭遇したことでかすかな期待を抱いていたのだが、人生そんなにうまくはいかないものだ。

（子供はできていてもよかったかも……）

子供を望む前に結婚しろよ！　と友人どもから突っ込まれそうだが、今の治美には男性と交際してうまくいく自信は全くないし、結婚まで持ち込むスキルも持ち合わせていない。

（もう二度とこんな経験はないだろうなぁ）

看護師の彼とは結局、二人の社会的格差が原因で別れることになったのだが、まわりが思っているよりも彼との別れで治美は傷ついていたのだ。

元カレは無謀にも治美を普通の女の子扱いで大切にしてくれたけれど、あくまでも自分の考える『彼女』の型に治美をはめようとしていた。

それが最初はくすぐったくも嬉しかったのだが、元々自立心旺盛なタイプの治美は、次第に彼の求める女性像が窮屈になっていったのだった。

そうして何度か衝突が起こり、彼の足が遠のき、連絡が少なくなり……別れがやってきた……という訳だ。

最初は愛されていたと思う。でも、それに応えることができなかった。風の噂《うわさ》では結婚したらしいし、いつまでも引きずっていてはダメだと頭ではわかっているのだが……。

治美は傷ついた心を持て余していた。

2　クリスマスの再会

あの雪の夜から一週間が経ったが、男からは全くアクションがない。治美はそれを想定内とばかりに仕事に励んでいた。

そうして……また自分の気持ちに嘘をついている。

このネット時代だから名前を検索すればヒットしそうに思えたが、未だに検索はしていない。検索しても何一つ見つからない可能性を考えて、内心恐怖に震えている。

自分が紙屑《かみくず》みたいに扱われて捨てられる存在だと思い知るのが怖いのだ。


外来終了後に病棟で仕事をしていると、看護師の相原《あいはら》がやってきた。彼女は院内一の情報通で治美の飲み友達だ。さらに、麻酔科の奥田《おくだ》医師と交際中で結婚秒読みとなっている。

治美は相原に元カレのことを聞いてみたいのだが、プライドが勝って聞くのを躊躇《ちゅうちょ》していた。

それには理由がある。元カレが転職した際に、あり得ない噂が広まったからだ。

『白石先生が別れた彼を追い出した疑惑』

心外だが、看護師の間でまことしやかに囁かれ、外科部長にさえ噂の真相を聞かれた。もちろん即座に否定したが、周りのスタッフは内心では噂を信じているかもしれない。仲のいい相原にもそう思われていたら辛すぎる。

治美がキーボードを打ちながら悶々《もんもん》としていると、左隣に座った相原がいきなり吹き出した。

「ぶはっ！　白石先生、誤字ってますよー」

キャハッ！　と弾けるような笑顔で画面を指す。

「あ……」

「『良露死苦お願い痛します』って……先生、ヤンキーだったんですかあ？」

「相原……勝手に読むな」

歯科医師への紹介文の最後に『よろしくお願いいたします』と書こうとして妙な変換になってしまった。さすが、相原は何事も見逃さない女だ。ゲラゲラ笑う相原の口を押さえていると、合田医師がやってきた。

「楽しそうだな、白石また何かやらかしたのか？」

無表情で右隣に腰をかけると、治美のパソコンの画面を見て微かに口を歪める。

「良露死苦……おい、悩みでもあるなら聞くぞ、あくまでも聞くだけだが」

「悩みなんてないし、ただの誤変換だもん。合田君、絶対に他の人に言わないでね」

「……それはできん」

「何ができないのよ？　嫁には言ってもいいけど絶対に外科部長には言わないでよ！　一週間はもの笑いの種にされるから」

「一週間？　半年は覚えているぞ、あの人は。お前の彼氏が辞めた時にも……」

「あっそれ聞きました！　白石先生が追い出した疑惑でしょう？　アホな、笑っちゃうわ」

聞きたかったことではあるが、今はタイミングが悪すぎる。突然降って湧いた元カレの話題に治美は頭を抱える。すると相原がサラッと暴露する。

「そういえば彼、例の彼女と結婚したんですって。先生知っていました？」

「うん。なんか看護師達の噂話を偶然聞いて……」

「えっ、先週ですよ。先生意外に早耳ですね。結婚式にウチのオペ看が数人呼ばれたんですって。めっちゃ素敵な式だったけど、奥さんのお腹はかなり大きかったらしいです」

「えっ？」

それは知らなかった。だから結婚を焦ったのか……かなり大きいお腹ということは、別れた時にはすでに彼女は妊娠していたのだろうか？

衝撃だ！　もしかしなくても二股をかけられていた……？　もう思いは残っていないかなら落ち込む必要はないものの、先日妊娠し損ねた身としては、そこも負けたみたいでなんとなく悔しい。やはり若さか？　若さなのか？

治美が考え込んでいると、左右の友から同情的な視線を送られているのを感じてハッとする。

「ちょっと、どうってことないから心配しないでよ。と言うか、気の毒に思うなら酒を奢《おご》れ」

　すると相原が眉をハの字にして首をふる。合田も頭を掻《か》いている。

「えっ、今日だけは無理ぃ」

「俺も。わざわざ薬師神に当直代わってもらったし」

「なんで？」

「……先生、今夜はイブですよぉ」

「あっ、そうか！」

　そんなこと全く気にしていなかった。今夜はパートナーがいる人達にとっては楽しい夜なのだ。

「ちょっと、いいわねー。せいぜい私は家から呪いをかけることにするから楽しみなよ」

「呪いは祝いに変えてください。はい、先生にはこれ、プレゼントです！」

　相原から何やら派手な包みを渡された。

「私と美月からのクリスマスプレゼントでーす。役に立ちますよぉ」

「これ、なに？」

　治美がすぐに開けようとすると、相原が焦って立ち上がり全力で止めにかかる。

「家に帰って開けてください！　絶対に人前で開けちゃダメです」

「爆弾でも入っているの？」

「まあ、そうとも言いますけど。大丈夫、死にやしませんから」

一体何が入っているのか？　治美は袋を持ち上げてシゲシゲと眺めた。

(怪しいものじゃないなら、とりあえず受け取っておこうかな)

「わかった、ありがとう。で、合田君からは？」

合田に手のひらを向けると、一瞬にして眉を顰《ひそ》められる。

「美月が贈ったのなら、俺からのプレゼントに等しい。それに俺は美月以外の女に物を贈ることはしない」

「はいはい、わかりましたー！」

合田の『妻大好きアピール』がかなり鬱陶《うっとう》しくなってきたので、無駄口を終わらせて治美はパソコンに向かった。

六時過ぎにやっと病院から解放され帰宅の途に着く。空を見上げるとあの日と同じ曇天でちらほらと雪が舞っている。

「うーっ寒い！　早く家に帰ろう」

病院の玄関で客待ちをしているタクシーにさっさと乗り込みマンションの住所を告げた。

帰り着く頃には本格的に雪が降り出していた。タクシーから降りて空を見上げると白く大きな雪が頬を濡らす。

(ホワイトクリスマスかあ……)

自分には関係ないが、相原や合田夫妻にとっては素敵なクリスマスになることだろう。

そして別れた元彼にとっても。

ふと、高級車がエンジンをかけたまま路上に駐車しているのに気がついたが、マンションの住人を待っているのだろうと不審にも思わず玄関ホールに入る。エレベーターホールへの扉をカードキーで解除して中に入り数歩進んだその時だった。

「待ってくれ」

扉が閉まる寸前で長身の男性がエレベーターホールに慌てて入ってきた。上質な素材のコートを着ていたので、鍵を忘れた上層階の住人だろうかと思ったのだが、なんとなくコートに見覚えがある。

（ん？　この人って……）

男性の顔を見て、治美は息をのんだ。一週間前に治美が一夜を過ごした相手ではないか！

（えっ、ちょっと待って！　やり逃げしたんじゃなかったの？　今更何の用？）

男は呆然《ぼうぜん》とする治美の側にやってくると、若干照れくさそうな表情で背を曲げてこちらの顔をのぞきこんだ。治美の目をしっかりと捉えて話しかける。

「今日出張から戻ってきた。部屋に入れてくれないか？」

「えっ……？　は、はいっ」

ギクシャクとした動きでエレベーターのボタンを押す。扉が開くと、さりげなく自然に治美の後を付いてくる。さすがにエレベーター内では無言だったのだが、外廊下から見下ろした先にキラキラした工場の夜景が見えると嬉しそうに呟く。

「いい景色だな。ここからなら昼間は海までが綺麗に見渡せるだろう？」

「……そ、そうね。天気がいいと遠くの島も見えるから解放感があるよ」

「そうか」

迷いもなく玄関キーを解除した直後、急に不安に駆られる。

(今更だけど、この人を部屋に入れてよかったの？　私ってば大丈夫？)

やけに堂々とした男の態度に気圧されて部屋に招き入れてしまった。あの夜の彼は酔っ払って弱っていたから治美も気を許せたのだとようやく気がつく始末。

今の彼は貫禄《かんろく》があるというか、物腰が柔らかいくせに存在自体に凄みを感じる。つまり、只者《ただもの》ではないということだ。

リビングに案内したのだが、我が物顔でソファーに腰をかける姿には余裕を感じる。

あの日に着ていたのと同じコートを無造作にソファーの背にかけて、差し出した紅茶を上品な所作で飲んでいる。

治美は少し離れたダイニングチェアに腰をかけ男から距離を取った。ほぼ三メートルというところだろうか、マグカップ越しに男を観察していたのだが、目が合ってしまい焦って逸らしてキョロキョロとあたりを見回す。なんだか、自分の家なのに落ち着かない。

「離れていないでこっちに来ないか？」

カウチソファーはそのまま寝転んでも大丈夫なほどのサイズだが、男が訪れた目的がまだわからないので今は近寄りたくない。

「声は十分聞こえるから大丈夫」

固い声で断ると、男は苦笑する。

「何もそこまで警戒しなくても……」

「します。いきなり来られて、しかもどこの誰かもわからないのに」

「仕方ないだろう。君の連絡先を聞きそびれていたし、職場も知らないんだから。でも、どこの誰かもわからないって、そりゃあない。名刺を置いただろう？」

「名刺……なかったもん」

つい拗《す》ねた言い方になってしまう自分がはずかしい。すると男がソファーを離れ、テーブルの側にしゃがみ込んだ。

「おかしいなぁ、確かこの辺に……」

名刺を探し始めたので治美も一緒に探すことにした。テーブル横のマガジンラックを持ち上げた男が声を上げる。

「あった！」

拾って鼻先に突き出された名刺は二枚、あの夜男が落としたものだ。

これで一週間以上もリビングの掃除をしていなかったことがバレてしまった。

「はい、どうぞ」

「……ありがとう」

床にペタリと座り込んで渡された名刺をしげしげと見つめる。

「潮造船《うしお》株式会社　代表取締役副社長　河野《こうの》一真……」

読んでいるうちに頭がクラクラした。これは腹ペコなせいもあるが、社名と男の役職に恐れ慄いたせいだ。

潮造船といえば国内最大手の巨大造船会社で、ついさっきマンションの外廊下から見下ろした湾岸には潮造船の壮麗な社屋と造船所が立ち並んでいる。県内どころか、日本中の誰もが知っている会社だ。

創業からそれを支配しているのが河野一族であるのも有名な話だ。

（その大会社の代表取締役副社長……？）

治美はつい内心をつぶやいていた。

「信じられない……この名刺って本物？」

「疑り深いなあ。偽証して俺に何の利があるんだ？」

「さ、さあ……」

苦笑する男に治美は曖昧な笑みを返す。

「えっと……じゃあ本物だとして、河野一真さんは私に何の用があって来たんですか？」

名刺を見た途端に丁寧な口調になってしまった。

「用は色々ある。まずは」

そういうと首を傾げて治美の顔を覗《のぞ》き込む。

「だ、だめっ！」

キスをされそうになって男の肩を押し戻す。この前は心が弱くなっていたし、お酒に酔っていたから関係を持ったけれど、今日は微塵《みじん》もそんな気にならない。

治美を見上げながら男が言う。

「なあ、キスもダメなのか？」

「なっ！　ダメに決まっているでしょう。この前簡単にセッ……寝たからって軽く見ないでほしいわ」

警戒心バリバリの治美を目を丸くして見ていた男は、情けない声を出す。

「やっと出張から戻ってきて、真っ先に治美に会いにきたんだぞ。別にヤリたいから待っていた訳じゃない。俺の素性はわかってくれたんだろう？　頼むからハリネズミみたいに刺々しくしないでくれよ。俺、泣きそう」

この美丈夫が簡単に泣くとは思えないが、そこまで言われてキツい対応もできなくなってしまった。

「う、うん……わかった。出張って、どこに行ってたの？」

「ギリシャ。アテネに事務所があるんだ」

「えっ！　ギリシャって、サントリーニ島とかミコノスとか？」

なぜかギリシャの話に食らいつく治美を男は目を細めて見ている。

「観光地には行ってないよ。興味あるなら今度連れて行こうか？」

「そ、そんな、いいよ。第一、休みなんて取れないし」

仕事一筋の治美にだって夢はある。いつか長い休みを取ってギリシャの白い島々でゆっくり過ごしたいなんて思っているのだ。

「そうか？　遠慮はするなよ。その代わり行っても俺は半分仕事だけどな」

なぜか同行する気満々で話をする男にツッコむことも忘れて、しばし青い海と白い島そして猫の映像を思い浮かべて治美はうっとりと夢想した。

（風に吹かれてさぁ、ビールを飲みながら夕日を眺めるとか最高じゃない？　足元に黒猫ちゃんとか……）

ボーッとする治美のそばに陣取って、男はセミロングの髪の毛にそっと手を伸ばす。あの日、散々乱した髪の毛を愛おしそうに撫ではじめた。

長い前髪が指で撫で付けられて、首の後ろからゾクゾクッと震えが走る。そのまま唇が近づいて、治美のそれを優しく塞いだ。

驚く間もなく、ついばむようなキスが続き肩を抱かれて熱い体に包まれる。

「んっ……」

抱きしめられたまま深く口付けられて、顎先が空を突くくらいに首がのけぞる。肩を軽く押され、治美の体はいとも簡単に床に横たわってしまった。

「会いたかった。治美を忘れられなくて……」

男の声が遠く感じる。一夜だけの関係だったのに、男はどうしてこんなに切ない声をあげるのだろう？

『私も』と言った方がよいのだろうか？　一真の熱に押され気味になりながら、治美は固い背中におずおずと腕を回した……。

「ねえ、河野……さん」

「一真、かずまと呼んでくれ」

耳元で甘く囁かれ、くすぐったさに身をよじる。

「……一真、何をしているの？」

「治美を押し倒してキスをしている」

率直な物言いがおかしくて治美はプッと吹いた。さっきまで警戒していたというのに、出張先を聞いて態度を変えるのはいかがなものか？　治美には、今自分がどうしたいかもわかっていない。ただわかるのは……名刺はたぶん本物で、この男は単純に自分に会いたくてやってきたということだけ。

これまで沢山の人間を見てきた目が、一真の目的をはっきりと理解していた。

(自惚《うぬぼ》れとかじゃなくて、ただ単純にこの人は私に会いたかったんだ)

この関係は夢のようなもので、朝になれば一真は消えているかもしれない。または自分の勘が外れて、このまま犯罪に巻き込まれるかもしれない。

でも今は一真を信じて、このひと時を楽しもう。治美はそう決心した。

耳朶《みみたぶ》を喰《は》まれてくすぐったさに身悶《みもだ》えしていると、クスクス笑いながら治美の脇を撫でてくる。くすぐったさと快感がないまぜになった感覚に、胸が弾んでこちらまで笑顔でキスを返していた。チュッ、チュッとついばむようなキスの後、深く口づけられて頭の芯がジ……ンと痺れてくるようだ。セーターの上から胸を撫でられて思わず声が漏れる。まるで胸の形を確認するみたいに、優しく愛おしげに撫でられるものだから、もどかしさで思わず声を上げていた。

「もっと……」

治美の発言にハッと顔を上げて一真が問いかける。

「もっと、何?」

察してよ！　と言いたいが、そこまで親しくない気がして言えない。だから正直に答えた。

「もっとちゃんと触ってほしいの」

正直すぎただろうか?　一真はクスッと笑うと治美の髪の毛を撫で、いきなり喰《く》らいつくようなキスをした。

「……っ！　んん……っ」

無意識に食いしばった歯の間から舌が強引に入ってくる。舌を絡ませながら互いの味を夢中で確かめ合う。一真の味は全然嫌じゃない。と言うか、すごく好きな味だ。

熱くて甘くて少しミントのフレーバーがする。

(私の味も好きになってほしい)

そんなことを考えながら、キスを返していた。

二人、手を繋《つな》いでベッドルームに向かう。冷たいシーツに横たわり、今回はちゃんとゴムをつけてと言う治美に一真はうなずく。

しかし、ポケットから出した避妊具を見て、なんとなくやるせない気持ちになった。

「用意してきたんだ？」

少しだけ棘《とげ》のある言い方になってしまう。一真は全く気にせずに治美のセーターの裾を引き上げて難なく脱がせてしまう。

治美の真っ白い胸に手を這わせてボソッと呟いた。

「俺が付けた跡が残っていない」

あの日一真が明け方に出て行ってから、治美は自分の体を見て驚愕したのだ。胸のいたるところにキスの跡がついていたからだ。行為に夢中で跡をつけてしまったのかと思っていたのだが、この呟きを聞いて自分の考えが誤りだったと気がついた。

「確信犯？」

呆れ返る治美に一真はニヤッと笑いかける。

「悪いな。誰にも取られないように治美に俺の印を残しておいた」

全然悪いとは思っていない言い方に聞こえる。確信犯だから当然か、治美がむくれていると、チュッと軽いキスが落ちてきた。

「治美、怒らないで」

一真はずるい。今までずっと俺様口調だったのに、治美が怒ると懇願してくる。そして……キスは極上に甘い。唇の輪郭を舌先でなぞられて思わず声が漏れる。

「ん……っ」

その声が飲み込まれてしまうくらい強く唇を吸われ、舌を持っていかれそうな恐怖を一瞬感じて一真のシャツの肩に縋り付く。

強く優しく……永遠に続きそうなキスの合間に一真の手でブラが外され胸が揉《も》みしだかれて形を変えていく。敏感な先端が指でこねられて、電流のような快感にまた声が漏れる。

「あぁっ……！」

「治美、敏感すぎる」

嬉しそうに一真は言うが治美は返事ができない。舌先で胸の先端を転がされてジィーーンと愉悦に咽《むせ》ぶ。

「んっ……あぁん……っ」

気持ちが良すぎて腰が自然と揺れる。一真の髪の毛を弄りながら、跨《また》った腰に自ら足を絡ませる。治美が胸を触られるのが好きだとわかっているのか、熱い口腔《こうくう》で先端を包み吸い上げる。吸い上げながら舌は先端を転がすものだから、治美は無意識に下半身を突き上げて一真の腰に摺《す》り寄せていた。

スカートと下着を脱がされてあらわになった下半身は、胸への愛撫のせいで熱を孕みジクジクと疼《うず》いていた。長い指が柔肉を割って難なく入ってくると、中が嬉しそうにそれを締めつける。グチュリグチュリ……粘りのある液が糸を引いて指に絡みつき治美の蜜口から滴り落ちると一真はそれをすくいあげて固く熱を持った陰核に擦りつける。

円を描くように指の腹で擦られると、治美の腰がビクビクッと跳ね上がる。

「あぁッ！　あ、やぁ……っ」

悦楽に咽びながら『もっと』と腰を突き上げる治美を嬉しそうに見つめて一真が囁く。

「治美……一回イッとく？」

「んっ、んん……っ、え、イッ？　あっ、やぁ……っ」

中指で中壁を擦りあげられて、腰がまた跳ねる。別の指で滑った蕾《つぼみ》を弾かれ、強い刺激に悲鳴のような声が漏れる。

「ヒィ……ッ！　はあっ……やぁん、イク……ぅ……やぁ……っ！」

ゾクゾクっと背中を悦楽が走り、治美は腰を大きく反らせて達した。一真の唇がゆっくりと落ちてきて舌を絡ませてくる。渇いた喉を潤すように一真のキスを悦んで受け入れると口腔を舌で優しく撫でられて、思わず声がもれた。

「んふ……っ、んっ……」

唇が離れて一瞬寂しさを感じて目を開ける。目の前に一真の整った顔があり、その目から切羽詰まったような感情が読み取れる。

「治美、挿れたい……」

ゴムを装着した亀頭が、治美の腰の上でブルブルと震えている。一瞬、可愛いなどと思ったのは間違いだったのかもしれない。

「挿《い》れて……」

手を差し伸べて一真にそう告げた。

蜜口からズン……！　と挿入された楔《くさび》に一気に奥まで突き上げられる。

「ひうっ……！」

衝撃を腰で受け止めて治美はシーツを両手で握りしめる。痛くはない、全然。重く大きな物体に隘路《あいろ》が満たされ悦楽に中が震えてくる。抜ける寸前まで腰を引かれ、また中壁を擦り上げながら一気に入ってくる。その衝撃と快感が治美の全身を満たす。何度も繰り返される抽送に、ガクガクと体が震えてくる。

「あああっ……あ、ぅひ……っ、あ、あぁぁ……っ、や、も……おっ、や、キツい……っ」

「あぁ……治美の中……キツくて……気持ちいい……！」

引いた腰をまた、ぐいっ！　と強く一突きされて腰をぐりぐりと押しつけられる。

「ああっ、や、あ、そこぉ……っ」

最奥まで突かれて、鈍くも甘い快感に腰から蕩けそうになる。

「や、かずまぁ……っ！　もっと……ぉ」

「治美っ！　もっと？　もっと欲しいの？」

「もっとぉ……」

脳みそが溶けているのかと思えるほどに自制心が利かない。甘えた単語を繰り返して治美は悦楽を貪り尽くす。

「あ、イクぅ！　かずまぁ、キスして……っ！」

息が奪われるようなキスと重い楔を与えられ、治美は激しい絶頂を味わった……。


朝、体にかかる重い腕を逃れてベッドから抜け出し、ガウンを着てキッチンで湯を沸かしリビングに向かう。広い窓から朝日が降り注いで気持ちのいい朝だ。

ふと、テーブルの下に置かれた包みに気がつく。相原と合田の妻から送られたものだ。包みを開いて中のものを取り出すと、それはピンク色の下着だった。それも、とびきり高級でセクシーなデザインだ。

（わ、これ……！　だから病院で開けるなって言ったのね）

Tバックショーツに薄く繊細なレースのブラは全く実用的ではない。これは観賞用だ。しかも揃いのガーターベルトとストッキングまである。

「治美」

素早く身支度を調えてやってきた一真が手元の下着に目を止めた。

「それは？」

「同僚からのプレゼントよ。それより一真、もう行くの？」

「うん。これからまた出張だ、早めに迎えが来る。それは下着か？」

「そう……非日常的な下着」

「いいな。今度着て見せてくれ」

一真の希望には応えたいが、Tバックを履く自信はない。しかも色がピンクだ。治美は困って曖昧な笑顔を向ける。

「う、うん……入ったら……ね」

「ん？　サイズが合ってないのか？」

「ううん、そんなんじゃないけど。私はこの色が似合わないんだよね」

「似合うと思うけどな」

「そう？　まあ……頂き物だからいつかは着るかも。あ、そうだ、迎えが来るまでコーヒーでも飲む？」

「いや、ものの十分で来るはずだ。もう行くよ」

玄関まで送ると、時間がないはずなのにキスが始まった。名残惜しげに落とされるキスは甘く切ない。

「週末には出張から帰ってくる。また会ってくれるか？」

「うん……」

まだ少し濡れたアスファルトの上を、ハイヒールで歩く治美の足取りは軽い。

早朝に出ていった一真とは週末に会う約束をしたが……一真の気持ちを問いただすことはできなかった。

（もしかして、このまま付き合うの？　本当に？）

ヒールの音を響かせながらクソ真面目な顔で先を急いでいるが、頭には男のことばかりが浮かぶ。前回の出張先は、なんとギリシャだった！　それに、潮造船の副社長だというのは本当だった。一真が帰った後に思い切って潮造船のサイトを閲覧したのだが、ちゃんと役員の中に一真の名前と顔が載っていた。

すごい会社だということはわかっているけれど、いまいち実感がわかない。

（ま、どうでもいいか。私には関係ないし）

考えてもしょうがないので、気持ちをさっさと切り替える。医局の自室で髪をバレッタでひとまとめにして外来に向かった。診察を開始して一時間が経った頃、中待合から戻ってきた看護師が治美に耳打ちをする。

「先生、ひどく顔色の悪い男性患者さんがいるんですけど、早めに呼び込みましょうか？」

「急患？　どうして受付から連絡が入らなかったの？」

急患の場合は、対応した受付から看護師に連絡が入ることになっている。しかし、今日はそんな連絡はなかった。受付をした新患には問診票を書いてもらうのだが、該当する患者のものは届いていない。

カルテで確認すると、少し前に受付した患者のようだ。看護師の言うとおりならこちらで診るか救急に回すかを決めなくてはいけない。治美は急いで中待合に向かった。

男性はスーツ姿で長椅子にダラリと体を預けて目を閉じていた。看護師が肩を揺すって声を掛ける。

「大丈夫ですか？　痛みはありますか？」

男性は薄目を開けると、か細い声で答える。

「下腹が昨夜から痛くて……今はお腹全体が痛いんです。熱もある気がします……あの、ちょっと今、気を失いそうで……」

「失礼します！」

看護師に目配せをして、治美は男性の側に跪く。

下腹の痛みの原因は色々とあるのだが、可能性として高いのは虫垂炎《ちゅうすいえん》や腹膜炎《ふくまくえん》、一般的には腰の痛みと勘違いする尿管結石《にょうかんけっせき》などだ。治美は虫垂炎にあたりをつけて患者の右下腹をグイッと押した。

「ちょっと押しますね。痛かったら言ってください」

押してすぐに手を離すと、男性がうめいてのけ反る。

「ウッ！」

「手を離した時の痛みが強いですか？」

治美の問いに男性が頷いた。

「離したら余計に痛いです……」

やはり虫垂炎か？　もしかして腹膜炎を起こしているのかもしれない。治美は急いで看護師に指示をする。

「ストレッチャーでCT室に運ぶから、手伝いを誰か呼んで。それから、三十分ほど診療を中断するから、代診で問題ない患者さんは他の先生に回してね」

「はいっ！」

治美は男性をストレッチャーに乗せると、処置室から走ってきた看護師と一緒に放射線科に向かった。

CTと血液検査の結果、男性は虫垂炎だった。午後から手術をすることになり、それまでは点滴を繋いで諸々の検査を行う。

その間、外来診療をはさみつつ、検査結果がほぼ出揃ってから治美は患者に説明をするために処置室に向かった。痛みはまだ続いているようだが、点滴のおかげか顔色は少し良くなっているようだ。

「佐々木《ささき》さん、やはり虫垂炎でした。腹水は少量ありますが腹膜炎まではいってないようなのでご安心ください。午後から手術を行うということでよろしいですか？」

「えっ、手術なんですか？　それはちょっと……」

よほど仕事が忙しいのか、それとも我慢強い性格なのか、これほどの痛みに襲われても手術と聞くと驚いて嫌がる。

「お臍《へそ》から腹腔鏡《ふくくうきょう》を入れて腫れた虫垂を取り除きます。術後は傷跡も気になりませんし、入院期間も開腹手術よりも短いので早めに仕事復帰ができるでしょう」

治美の説明を聞いて男性の表情が曇る。

「あの……虫垂炎って、薬で散らすとかって聞いたことがあるんですけど、それではダメですか？　午後から商談があるので痛み止めの注射でも打ってもらって……」

虫垂炎だからといって放っておくと死に至る可能性もあることを患者は知らないようだ。治美は穏やかな口調で言い聞かせる。

「抗菌薬で対応できるのはきわめて初期の虫垂炎です。今はなんとか持ちこたえていますが、佐々木さんの虫垂は破裂寸前です。破裂すると腹膜炎を起こします。そうなるとお腹を開く手術になり入院期間や苦痛が長引きますよ」

「えっ、そうなんですか？」

「率としては五％ほどですが、死亡する方もいらっしゃいます」

「わ、わかりました。先生、手術をお願いします」

ようやく理解してくれたようだ。病気よりも仕事優先の患者は多く、いつも説明に苦慮するのでこれくらいの説明で理解してくれてよかった。

後を看護師に託し、治美は待っている患者の診察をすべく急いで外来診察室に入った。外来を超特急で終わらせて、ブロックの栄養補助食品とゼリーの経口栄養食を流し込み手術に突入する。いくら簡単な手術とはいえ油断は禁物だ。予定外の手術があるとしんどいがこれが外科医の醍醐味《だいご》だと諦めて、治美は小走りで手術室に向かった……。

手術は二時間弱で終了し、ストレッチャーで回復室に向かう患者を見送ってから医局にダッシュで戻る。

「あー、疲れた」

頼んでいた昼食はすっかり冷めて味気ない。それでも箸をすすめていると研修医の薬師神がやってきた。この男、指導医の合田に塩対応されるものだから治美に懐いて何かと話しかけてくるのだが、それが少々鬱陶しいときがある。とはいえ若手の指導は大切な職務だ。

「白石先生、緊急オペだったんですね。僕も入りたかったです」

「マジ急患だったから、薬師神君には遠慮頂きたいかな」

「え、それどういう意味ですか？」

また、涙目で縋りつきそうな勢いだ。

「察しようね。もうちょっと手際が良くなってから入ってほしい。それに合田先生が指導医だから、オペに入る機会は結構あるんじゃない？」

「そうなんですけど、合田先生は怖いんです」

合田が薬師神に厳しいのは入職当時から有名な話だ。しかしあの合田のことだ、無視せずに相手にしているところを見ると、なんらかの伸びしろを感じているのだろう。まるっきりのアホ研修医なら、とっくに指導医を辞めているに違いないからだ。

「怖いって……スリッパが飛んでくるとか？」

「いいえ。何かが飛んでくるんなら、反応があるだけマシなんですけど、無言で氷のような視線を向けられると僕……」

「……最悪じゃん。じゃあさ、外科部長のオペに入らせてもらいなよ。飛んでくるのはダジャレだけど」

「ダジャレかあ……それも疲れますね。じゃあ合田先生で我慢をします。あ、これ差し入れです。コンビニで見つけたから、先生好きだったなって思って」

　切り替えの早すぎる薬師神に少々呆れつつ、袋の中を覗き込む。中には大好きなコンビニスイーツが入っていた。

「え、これ賄賂じゃないよね？」

「まさか！　先生には何も望みません」

「何もって……それも微妙だけど、遠慮なくいただくわ」

　疲れた体に小さなチョコレートケーキは深く沁《し》みいる。薬師神からもらったスイーツはすぐに胃袋に消えていった。

　患者の急変があれば、食事中でも鬼電がかかってくるものだから、すっかり早食いが身についてしまって上品な食べ方など忘れてしまった。

「悲しいなぁ」

　治美の呟きを薬師神が拾う。

「何か辛いことがあったんですか？」

「いや。早食いが板についちゃって、悲しいなーって」

「それ、医者あるあるでしょう？　僕は逆にいつも合田先生に『早く食べろ』って怒られているんですけど、ちょっとずつしか食べられないんですよね」

「……女子か」

「生まれが上品なだけですってば！」

「自分で言うな」

呑気《のんき》な薬師神と話していると、何事も深刻に考えなくてもいいような気分になってきた。自分が彼の指導医ならきっとイライラするのだろうが、所詮人ごとだ。

食事の後はさっさと病棟に向かう。手術を終えた患者の病室に入り声をかける。

「佐々木さん、開けますね」

カーテンを開けると、患者が点滴や尿管など、色々な管に繋がれて横たわっている。顔を見ると静かに目を閉じている。その顔色が怖いくらいに青白いのでギョッとするが、目を開きこちらに顔を向けたので『良かった、生きていた！』と、ホッと胸を撫で下ろした。

もしかして自分を覚えていない可能性もあるので、自己紹介を兼ねて声を掛ける。

「佐々木さん、執刀医の白石です。調子はいかがですか？」

「あ、先生！　お世話になりました。あの……お伺いしてもいいですか？」

「ええ、何なりと」

「あの……その……、し、下の管はいつ外れますか？」

尿管に刺したカテーテルのことだろう。女医が担当すると、恥ずかしがって中々言い出せない男性患者は多い。治美はさりげなく説明をする。

「明日の朝には外せますよ。その代わり立ってトイレに行かないといけませんけど、もしかして刺した箇所が痛みますか？」

「いいえ、ちょっと気になったものですから」

「そうですか。看護師に伝えておくので、後で見に来させます。他には何か聞きたいことはありますか？」

「いいえ。あの、先生」

「はい？」

何か言いたげにモジモジしているので、もしかして他にも聞きにくいことがあるのかと心配したのだが……患者の次の発言に治美はびっくりした。

「僕を救ってくれた時の先生、ドラマの主人公みたいにカッコよかったです」

「へっ……？　そ、そんなことないですよ。佐々木さんの治療には、沢山のスタッフが関わっていますから、私だけが救ったわけではありません」

「それはそうですけど……とにかく、先生ありがとうございました」

「いいえ、どういたしまして。では……また明日の朝回診にきますね」

今まで沢山の患者の手術をしてきたが、カッコいいと言われたことは初めてかもしれない。嬉しいよりも、このご時世なだけにちょっとだけ引く。

もしかしてこの患者はヤバい人なのかもしれない？　と思うからだ。

たまに医師に必要以上の好意を向ける患者がいるが、佐々木にもその傾向があるのだろうか？　治美はさっさと雑談を切り上げて病室を出た。

ナースステーションに戻り、看護師に患者の尿管のチェックをしておくように言う。その後はパソコンに向かって電子カルテに入力を始めた。

しばらく無心で仕事をしていると、隣に合田医師が腰掛けた。この男、音もなく近づくからいつもギョッとさせられる。

「……びっくりした」

「何が？」

メガネ越しの美麗な瞳にチラ見されてもときめかないのは、残念な性格を熟知しているためだ。

「いや、なんでもないけど」

患者の投薬を入力していると、ぼそっと声をかけられる。

「クリスマスプレゼントは活用できたか聞いておけと妻から指令があった」

「何それ？　何かあれば私から奥さんに連絡するよ。今日彼女は夜勤？」

「そう、夜勤」

嫌そうに呟くのがおかしい。

夜、家で一人なのがそんなに嫌なのか？　この男の『妻大好き病』は深刻な病なので手の施しようがない。こんなに妙な男が夫とはどんな気分なのか彼女に聞いてみたいものだ。

そういえば、一真もかなりの変わり者だ。なんとなく合田と同じ匂いがするので、ちょっとだけ不安になる。

（一真がこんな残念な男だったら……？　いや、別に結婚するわけじゃないし）

そう内心で呟いてハッとする。

近頃なんでも一真と結びつけて考えてしまうのだ。数回セックスをしただけの男を、事あるごとに思い出すのはイタイからやめなくてはいけない。

これも恋愛の経験値が低いせいと、過去の恋愛に成功体験がないせいだと思われる。


平凡な地方公務員と専業主婦の間に生まれた治美は、幼い頃から神童だったわけではない。そこそこ成績は良かったものの、塾には通わず陸上の部活動に勤しんでいた。

医師になりたいと思ったのは、月並みだが練習中に怪我をして整形外科医院に入院したのがきっかけだった。

医師になろうと決心してからは必死に勉強したし、今だって先輩医師やデキる同期を見ると敵わないなぁと悲しくなることもある。内心では毎日ドキドキしながら仕事をしているのだ。

整形外科は、志望する同期たちがほぼ陽キャラのガチムチ男性ばかりだったので肌に合わず早々に諦めた。初期研修医時代に、内視鏡の扱いが上手いと指導医に褒められてその気になり消化器外科医になったが全く後悔はしていない。

上下のどちらからでも、患者への苦痛を最小限に留める内視鏡検査だけには、密かに自信を持っている。でもそれを人に言ったことはない。これでも空気は読めるのだ。

他人には、姉御肌で酒好きの外科医に見られているけれど、本当の自分はいつまでも自信のないちっぽけな人間だ。

それでも治美は仕事が好きだし、自分の天職だと思っている。それを自覚したのは消化器外科専門医の資格を取得してからだったが……若手の時には目の前の仕事をこなすことに必死で、仕事を「楽しい」などと考える暇もなかった。

外科は男性が多く縦社会だから尚更だ。この病院に移ってから同期や看護師たちに守られながら仕事ができて、改めて仕事の楽しさを感じている。手術に入っても先輩医師から器具が飛んでくることもないし、ましてや小汚いスリッパが飛んでくることもない。土地柄というのか、関東圏とはまた違う訛《なま》りやおおらかな雰囲気にかなり助けられている。

そんな小心者の自分が、ワンナイトどころかマンションに通ってくる男を持つような身になるとは、いまだに信じられない。

午後六時、そろそろ帰宅できそうだ。医局のパソコンの電源を切り、スマートフォンを確認すると通信アプリにメッセージが入っていた。慌ててタップをする。

『出発が明日に延びてまだこっちにいる。今夜も行ってもいいか?』

どストレートなコメントは一真からのものだ。どうした私、モテ期に入ったのか?

『いいけど』

こちらも愛想のかけらもない返事をする。

『七時頃に行ける』

返信を読み慌てて立ち上がる。先日一真が来てから掃除をしていないのだ。治美はバッグを手に医局を後にした。

タクシーで自宅にたどり着き、軽く掃除をしてリビングの体裁を整える。今更だが、忙しいと言って断ればよかったと後悔していた。一真のことは決して嫌いではないが、男に振り回されるのは自分らしくない気がするからだ。

おまけに洗面室で身だしなみを整えたりして、少しでも自分をよく見せたいと思ってしまうのも嫌だ。しかし……治美は鏡に映る自分を見て驚いた。いつもは顔色の悪いこけた頬が、ピンク色に染まって表情がイキイキとして見える。これはだぁれ？　仕事で疲れ切ってボロボロのはずじゃなかったっけ？　なんでそんなに嬉しそうなの？

（え、まって！　私って……もしかして恋をしているってこと？）

一人で焦りまくっているうちにインターフォンの音が来客を告げる。

決して狭くはない空間なのに、一真が玄関に立つとその存在に圧倒される。今夜も上等なコートを着て、首にはマフラーを巻いている。ヌメ皮の手袋までして何気に重装備だ。まあ今は冬だし寒いのは確かだが、雪が降るほどの寒さではない。

手触りが最高にいいコートを受け取りハンガーにかけながら問いかける。

「もしかして寒がりなの？」

しなやかな筋肉で覆われた体を持っているのに寒がりだなんて可愛いではないか。治美の問いに、一真は一瞬ギクッとした。

「バレたか」

「寒がりのくせに、酔っ払うとコンビニのベンチで寝ちゃうんだ？」

「あれは不可抗力だ。心が弱りきって歩けなくなった。おまけに酒のせいで寒さをあまり感じなかったし」

「ふふっ……。珍しいわね、そんなに立派な筋肉を持っているのに寒がりだなんて」

「冬は寒いから嫌だ。でも夏はジメジメ暑いから嫌だ」

「何それ子供？」

甘えた言い草に治美はプッと吹いた。我が儘《まま》な男だ。誰だって極端な気候は好きではない。

「私は冬が好きだよ、寒さは清々しくて気持ちがいい。夏も嫌いじゃない。暑いけど汗かけばいいじゃん。日本の季節ってそんなものだし」

リビングに移動しながらおしゃべりを続ける。なんだか長い付き合いの恋人同士みたいな会話だと感じ、少々くすぐったい。

「治美は楽天的でいいな。そう思える人は健全で信用できる」

「え、そうなの？」

「うん。ますます俺の直感に狂いはなかったって思うよ」

「直感って何よ」

不思議な言い回しに治美は首を傾げる。一体何を直感したというのだろう？　神のお告げでもあったのか？

治美は一真を厳しい経験を重ねた大人の男だと評価していた。それは名刺から得た社会的な地位と治美の勘からだが……。もし冒険をしたとしても絶対に失敗はしないし幸運を引き寄せる、そういうタイプの人間で決して馬鹿なことはしないと思っていた。

だから、次に一真から放たれた言葉を聞いて、唖然《あぜん》とした。

「なあ、俺と結婚しないか？」

「……は？」

何を言っているのこの男は？　気は確か？　大会社の重役、そう遠くない未来にはあの巨大企業を背負っていく宿命の人間は、出会って数日の女にプロポーズはしない。

（しかも私は医者だよ。内助の功を期待されても絶対に無理だし、仕事は辞めない）

想像でしかないが、こういう家柄の男はどこかの名家の令嬢と政略結婚をするものではないのか？　間違ってもアラサーの、しかも失恋を重ねる非モテ外科医と結婚をしてはいけない。

「えっと……お茶でも淹《い》れようかな」

そそくさとキッチンに向かうと一真が後を追ってくる。

「スルーかよ？」

ケトルに水を入れて一真を振り返る。

「スルーしかできないわ。結婚だなんて非現実的すぎる」

「どこが？　俺たち相性はいいと思うぞ」

（確かにセックスの相性はいいかもしれない。いやすごくいい。でも結婚は別だよ）

「私の何を見てそう思ったかは知らないけど、数回寝ただけの相手と結婚だなんてリスキーだと思わないの？　貴方は自分の立場を理解している？」

「リスキーだとは思わない。治美と出会えて俺はハッピーだ」

　ふざけた言い方にイラッとした。結婚は人生の重要案件なのに。

「茶化さないで」

「俺の立場って何だ？　俺は誰にも指図されずに好きなことをやる。それに、好きな女と結婚してなにが悪い？」

　ポットに茶葉を入れる手が震える。

（好きな女と結婚って……嘘でしょう？）

　一真の言葉に思いっきり動揺しながら、沸いたお湯をポットに入れる。蓋をして茶葉が開くのを待つ間に茶器を温めていると、おずおずと声がかけられる。

「あのさ、まだ聞くのは早いと思って黙っていたんだけど……妊娠は？」

「えっ……」

　酔っていたくせに冷めた頭でこちらを見定めて妊娠させようと思っていたのだろうか？

　色々な疑いが治美の頭をよぎる。男は酔うと可愛いが、素面では冷静で喰えない人物に見える。

「妊娠の可能性があって結婚を考えたのなら、その必要はないから安心して」

「なぜないとわかる？」

「あの後、生理になったからよ。だから、妊娠はしていない」

「……そうか」

一真の顔が落胆しているように見えるのは気のせいか？　照明の加減でそういう表情に見えたのかもしれない。

「妊娠しているかを聞きたくて来たのなら答えは手に入れたでしょう。もう帰って」

「いや。お茶を淹れてくれたんだろう？　飲むよ」

「……」

帰宅前の少しだけ浮かれた気持ちは跡形もなく消えてしまった。治美はリビングで一真のクソ真面目な顔を睨《にら》みつけながら紅茶を飲んでいた。いい加減お腹が空いてきたから何か食べなくてはいけないが、今は食べる気にならない。

たった三回会っただけの女に結婚を申し込むなんて、軽薄にも程がある。

この男とも今夜が最後だろうが、治美は一真に聞いておきたいことがあった。この際だから怒らせてもかまわない。

「聞きたいことがあるんだけど」

「うん？」

紅茶を飲んで気持ちが解れたせいか、緩く微笑む一真を再び睨みつけて治美は口を開く。

「猫ちゃんの話が嘘だと思いたくないし、私がコンビニのベンチで一真を拾ったのは偶然だと思いたい。でも、ゴムをしないセックスをしたのはもしかして……是が非でも妊娠させて結婚に持ち込みたかったから？　つまり……何かの理由で結婚を急いでいた折に、私が目の前に現れたから、その……誰でもよかったとか……私の考えすぎかしら？」

紅茶を飲んでいた一真の喉がゴクリと上下に大きく動く。一真は治美を凝視して、その後目を逸らして考え込んでいる。

数秒の間、静寂が部屋を満たし、痛いくらいに心臓がドキドキする。治美は息を呑《の》んで一真の答えを待った。

「その……」

一真が口を開いたけれど、その声は掠れている。治美は頷いて続きを促す。

「サーヤのことで嘘は絶対につかない。今は骨になって俺の家にいる。ちなみに骨片と牙を小さなカプセルに入れていつも持ち歩いているが見るか？」

治美は真顔で首を横に振る。治美は医師だが、割と怖がりだから猫の骨を見せられるのは遠慮したい。

毅然《きぜん》と首を振る治美に押され気味になりながら一真は話を続ける。

「コンビニで治美に拾われた時には……そうだな、天使が俺を拾って暖かいところに連れて行ってくれるんだと考えていた気がする。とにかく、俺は酔っていて治美の優しさに縋りついた」

　天使は美化しすぎだと思うが、確かにあの時の一真は頼りなくて可愛くて、守ってあげたいと感じたのは事実だ。

「そこまでは信じる」

「うん、ありがとう。ゴムは……」

　核心に近づいてきた。治美は真剣な顔で聞き入る。

「本当に持っていなかったんだ。でも治美の中に……その……」

　三十歳を超えた大人の男がモジモジしている姿は割とレアだと思う。聞いていると恥ずかしくなってきて治美までモジモジと俯いてしまう。

「……止まらなくなったんだ。そんなことは初めてで、自分の無鉄砲さが信じられなかったけど後悔はしていない」

　弁明している間に腹が据わったのか、一真はドヤ顔でキッパリと言い切る。

「わかった。私も止めなかったのは酔いのせいだけじゃなかったから……」

「治美、それは俺にも希望があるということか？　けっこ……」

「それとこれは別だよ！　いきなり結婚だなんて変！　絶対に訳があるでしょう？」

　もう時間は午後九時をすぎている。お腹が空きすぎてヤバい。ここは休戦して何か食べたほうがよさそうだ。治美は立ち上がりキッチンに向かう。

　冷蔵庫には食材があるけれど今から作るのは億劫《おっくう》だ。こういう時にはインスタント食品に限るが、一真の口に合うかどうか……。しかし、勝手に押しかけて戯けたことを言う男に気を使うのは自分らしくないと思い直し、治美は一真に声をかける。

「何か食べる？　インスタントしかないけど。えっと、カップラーメンとお粥《かゆ》、具沢山《ぐだくさん》スープとか」

「ラーメン」

即答だ。カップラーメンを食べるかと聞かれて文句を言わない一真に対して、治美の好感度が一気に上がった。

「ふふっ。大会社の副社長なのにカップラーメンも食べるんだね」

「仕事は家業だからやっているだけだ。大学の頃は学費以外を自分で稼いでいたからインスタントラーメンは主食だった。いや、オヤツかな」

それはまた大変な。お金持ちのボンボンかと思ったら、苦労も知っているようだ。そこは追い追い聞くことにして……。

そんなことを考えて、治美はハッとする。

(私ったら、これから長い付き合いが始まるみたいに思っているわけ？　正気なの？)

お湯を沸かし説明書き通りにカップに注ぎ三分待つ。

出来上がったラーメンをリビングのテーブルに置くと、ラーメンの蓋を開けた一真が嬉しそうに呟く。

「久しぶりだ、うまそうだな。この銘柄が好きで俺もよく買っていた」

「そうなの？　やっぱりこれがスタンダードだよね。私は何個か買い置きしているんだ」

休戦して二人で夕食をがっつく。カップラーメンはさすがに侘《わび》しいが治美はお腹が空いていたので結構満足して、はーっと息を吐いた。すると、一真が汁を飲んでいるのを見て慌てて止める。

「あっ、だめだよ！　汁を全部飲んじゃ。どれだけの食塩が入っていると思ってるの？　1日の塩分摂取量に相当するんだよ」

汁を最後まで飲み干した一真に治美が注意をすると、逆に嬉しそうな顔をされる。

「そうか？　若い頃からこれと白米を食べるのが最高に美味かったけどな。治美は俺の体を心配してくれているってことか？」

「違うよ！　あ、や、違わないけど、私は医者だし」

「医者なのは知っているよ。空港に向かう車の中で市内の医療機関のサイトを見まくって治美の勤務先も見つけたし」

「えっ、ストーカー？　きもい……」

「ほっとけ。惚れたんだから仕方がない」

「惚れっ……！」

どうだ参ったか。とでも言いたげな一真を見て、治美は一瞬でも『嬉しい』と思った自分を戒める。それに、帰国後いきなり一真がマンションに現れた時の言い訳に、治美の職場を知らなかったと言っていたのを思い出し、もしかして息を吐くように嘘をつくタイプなのかもしれないと気を引き締める。

「悪いけど、展開が早すぎてついていけないのよね。いきなり結婚を言い出した本当の訳を話してくれる？」

「どうして治美はそんなに疑り深いんだ？」

リビングのテーブルを挟んで向かい合って座っていた一真が治美の側までにじり寄ってくる。伸びてきた手を治美は軽く叩いて一真の鼻先に人差し指を立てた。

「疑り深いんじゃなくて現実的なの！『一夜を共にした男性がなんとスパダリ！で、私に夢中になりました』なんて、甘ったるい恋愛小説みたいなことが現実にある訳がないでしょう。あるとしたらそれはきっとロマンス詐欺だわ」

「辛辣だなあ……そのスパダリってのはなんだ？」

「……」

治美が黙っていると、一真はスマートフォンを取り出して検索を始めた。すぐにヒットして読み上げる。

「スパダリ、スーパーダーリンの略称、整った容姿……」

ニヤッと口角を上げると治美の髪に手を伸ばす。

「そうか、俺は治美のスパダリなのか。ちなみに一緒にヒットした『彼氏力』と『攻め』というのはオタク用語か？」

興味津々で畳み掛けてくるものだから、こちらが恥ずかしくなってきた。

「もうっ、話を逸らさないで。帰国してマンションに押しかけた時に私の職場を知らないと言っていたけど、ネットで検索して知っていたんでしょう？　そんな嘘をつくからロマンス詐欺だと疑われるのよ」

治美に責められて一真の動きが止まる。

「ごめん。嘘の言い訳をしてでも部屋に入れてほしかった。でも、いきなり職場に行っても会ってくれないと思ったんだよ」

賢い頭で最良の言い訳をするのかと身構えていたら、情けなさそうな顔で素直に嘘を認めるから調子が狂う。

「そりゃあ、会わないわよ。職場の仲間に誰ですかって聞かれて、本当のことなんて言えないし。でも、嘘は自分の利のためについちゃいけないと私は思うのよ。だから、これから一真が嘘をついたら私は許さないよ」

「……悪かった。治美に嫌な思いをさせてごめん。でも、俺が治美を好きなのは本当だ。それと俺はロマンス詐欺師じゃない」

必死に言い募る一真を見ているうちにかわいそうになってきた。おまけにキツい言い方だったと治美は少しだけ後悔をして、うなだれる一真の肩に手をかける。

「私も言いすぎたわ。一真は詐欺師じゃない……でいい？」

「詐欺じゃないよ。それより、取引先の娘さんが日本のオタク文化が好きらしいんだが、このスパダリとは万国のオタク共通の言語か？」

「た、たぶん。取引先ってどこ？」

「オマーン」

「おま……？」

治美がポカーンとしている間に、一真はポツポツと結婚を申し込んだ訳を話し始めた。

「実は、祖父から結婚をせかされてうんざりしていたのは事実なんだ」

「……はぁ」

「勧められた相手と形だけの結婚をするなんて嫌なんだ。俺は治美と結婚がしたい」

「何それ？　私が医師だから信頼できるとでも？　結婚ってそんなものじゃないでしょう。それに私は仕事を続けたいから『内助の功』なんて期待されてもできないよ」

現代では死語と化した慣用句だが、いまだにそれを女性に期待する輩は多いだろう。

「なぜ？　結婚はある意味『契約』だ。それに子供ができたらいくらでも人を雇って育てればいい。医師としての仕事の継続は可能だ」

「契約……？　そんな生活なんて望んでいないよ。結婚するなら、互いに助け合い愛しみあって暮らしたい。なんだか……あなたの頭はロボットみたい。それにお金持ちの生活に慣れきって、庶民の気持ちなどわからないんでしょう？　そんな人とはお付き合いも結婚もできないし、もし子供ができていたとしても自分だけで育てる。あ、妊娠してないけどね！」

「庶民の気持ちがわからないって……そりゃない。俺はそんなに楽に育ったわけじゃないぞ。祖父の方針で大学の学費は出してくれたけど、俺だけ生活費は自分で稼げと言われてバイト三昧だったし、絶対に金持ちのボンボンではない」

「学生時代はそうでも、今の貴方は人を雇えばいいって言ったじゃないの」

「……じゃあ、俺が育休を取って育てる」

「はあ？」

付き合う前にプロポーズをしたかと思えば、今度は子供ができた前提の話が続く。この男の思考回路は普通ではないみたいだ。

「社長になったとしても？　ムリでしょう？」

「祖父に文句を言われたら社長は誰かに譲る。俺は主夫になってもいい」

「付き合う前から主夫になるとか意味不明だし、意味のない会話はもうしたくない」

「……俺はすでに付き合っているつもりだけど」

「えっ……？」

「どうせ治美は俺をセフレくらいに思っていたんだろう？　スパダリだとかサラッと持ち上げておいて、結局はろくでもない男だと疑っていたんじゃないのか？」

「うっ……」

図星だ。この男、全くもって侮れない。治美は言葉に詰まって、クソ真面目な顔の一真を凝視した。

（こんな人……私の手に負えないんですけど）

元カレは医療関係者で、力関係では治美の方が強かった。今まで、自分の手に負えない男と付き合ったことなどない。

仕事で接する上司や先輩医師達も中身は普通の人なわけで、面倒くさい人物の攻略方法を同僚の女医や看護師達と情報交換をしてなんとかやりすごしてきた。

しかし、世界を飛び回り数百億の商談をして、万単位の社員の頂点に君臨する運命の男となんて、これまで知り合ったことも付き合ったこともないのだ。

治美は、生まれて初めて一真を『怖い』と感じた。身の危険があるわけではないが……経験も知力も体力も全てがずば抜けていて、拒否しても押し切られそうな恐怖を感じたのだ。

本物のスパダリが現れたとばかりにボーッとなる女性もいるかもしれないが、治美には無理だ。

（これは恋愛の猛者に相談案件だわ）

内心でそう呟いて誰に相談しようかと思案するあたりですでに現実逃避をしている。まだ一真は目の前にいて、治美がイエスと言うまで粘るつもりだ。

「とにかく、もう帰ってくれない？　話はまた後日に。もう寝ないと明日の仕事に差し支えるから」

「まだ十一時前だ」

「もう十一時前なの！　私はお風呂に入りたいし、片付けもしたい」

「わかった」

素直に立ち上がった一真を玄関まで送ると、次の約束をさせられる。

「明日からしばらく東京支社だ。こっちに戻ってきたらまた連絡する。会ってくれるか?」

「……はい」

つい素直に『はい』と答えてしまって、治美はほぞを噛《か》む。

(悔しい。なんだか負けた気分)

内心で地団駄を踏んでいると、急にふわりと抱きしめられた。

「治美にしばらく会えないのが辛い。そう思っているのは俺だけなのも辛い」

「そんなこと……」

そんなことはないかもよ。と言いかけると、噛みつかれるみたいに唇を塞がれてびっくりする。顔を全部食べられるみたいに強烈な力で唇を吸われて息もできない。足がガクガク震えて一真の腕にしがみついた。

舌が難なく入ってきて口腔を撫でる。激しいキスなのに舌先は優しくて甘い。

「んん……っ」

必死に鼻で息をして応えるけれど、キスは全然終わらない。一真の膝がスカートの布を割って足の間に入り込み、背中に回された腕で体を軽く持ち上げられて腰が押し付けられる。硬く盛り上がったものが何なのかは最初からわかっていた。一真が腰を揺らせただけで、治美の腰から背中にかけて甘い衝動が走る。

「あっ……あぁ……ん、やぁっ、こんな……ところで……っ！」

セーターの裾から無遠慮に手が入ってくると、ブラを押し上げられて大きな掌で胸を掴まれる。

「ああっ！」

胸をやわやわと撫でられながら、首筋へのキスの心地よさに体をよじると、チクッっと痛みが走る。（跡がつくかも……）そう感じて体を離そうとすると、胸の先端を指で強く摘まれてジィ……ンと愉悦が走る。玄関先なのに、治美は一瞬我を忘れて声を漏らす。

「あっ……あぁ……ん」

「治美……ここでしてもいいか？」

「や、だめ……」

「じゃあ、寝室に行く？」

手首を掴まれて寝室に連れていかれそうになる。霞む目で一真に焦点《しょうてん》を合わせると、涼やかな目が妖しく細められる。治美は流されそうになりながらも必死に衝動を押し留める。

「だめ……っ、お互いに明日は仕事があるから今日は帰ったほうがいいと思う」

「……わかった」

名残惜しそうに時間をかけて治美の手首にキスを落とすと、一真はようやく玄関を出て行った。治美は鍵をかけ、ヨロヨロとバスルームに向かったのだった。

翌日。

今日は外来がないので、午前中から病棟の担当患者を見回ってからナースステーションに入る。師長に患者の対応についての指示をしてパソコンの前に陣取った。患者の投薬などを入力していると背後から声をかけられる。

「先生、おはようございまーす」

相原だ。今日もキラキラと輝いている。結婚前の女性はこうも輝くものかと感動さえ覚えるほどだ。すると、相原が治美の顔をマジマジと見つめて何やら考え込んでいる。

「先生」

「な、なに？」

神妙な顔をしているので何を言われるのかと動揺するではないか。この女、情報通で勘が鋭いので油断できない。

「先生何かありました？　いつもはボロボロのお肌が今日はツヤツヤなんですけど」

「……何気に失礼だね。化粧品は変えてないよ」

「ふーん」

顎に人差し指を当てて何やら考え込んでいる。チラチラっと治美の全身に目を向けているうちに瞳がキラッと輝いた。

（え、何？　相原ってば怖い）

内心を見破られそうで本気で怖くなった。すると、治美の捲《まく》り上げた白衣の手首あたりを指してにっこりと微笑んだ。治美のそばで腰を落として相原は囁く。

「先生の彼氏って、ねちっこい人ですかあ？」

「えっ……か、か、彼氏なんていないし」

「またまたー。じゃあ手首の充血って火傷？　違いますよね。あ、よく見たら襟元の下の方にも……もう、先生ったら、す・け・べ」

「あ、相原！　ちょっと別室にっ」

相原の腕を引っ張って相談室に急ぐと、廊下で美月が二人を唖然と見送っているのが目に入った。

「美月！　一緒に相談室に来て！」

「あっ、うん」

相原が美月を呼ぶと、処置用のカートを押してついてくるではないか。仕方なく三人で相談室に入り密談が始まった。仕事中なのに……外科部長に知られたら大目玉だ。

「先生、私達に内緒にできると思っていました？　いつからですか？　ってか、どなた？」

「……まだ彼氏にしてないし」

「何それ？　キスマークつけられているくせに」

「キッ……？」

ようやく話が見えてきた美月が素っ頓狂な声をあげる。

「え、先生彼氏ができたんですか？　そんなの教えてくれないとダメですっ！」

「いいけど、旦那の合田君には内緒だよ。また何を言われるか……」

「わかりました。内緒にしますけど、夫は何気に鋭いですよ」

「……知ってる。あのさ、急だけど今夜時間取れる？」

「んー、大丈夫です。いつもの居酒屋？　それとも新しく見つけたバルにします？」

「居酒屋の奥まった席がいいかな。ちょっと相談もあってさ」

「おっと……そう来たか！　もしかして彼は訳あり物件？」

相変わらずカンの鋭い相原が嬉しそうに手を叩く。

「いやちょっと、スパダリについて」

「……へ？　もう先生ったら何を言い出すのかと思ったら……スパダリなら一人そこにいるじゃないですかあ」

相原が指す先に視線を向けると、相談室のドアを半開きにして合田医師と薬師神がこちらを覗いている。

「ぎゃあ！　二人とも何やってんの？」

「何って、美月が相談室に入ったから何をしているのかと……」

妻のことしか考えていない合田が呟くが、こいつもまるでストーカーだ。

「白石先生、僕に相談もなく。彼氏ができたんですか？」

どうして薬師神に相談が必要なのか意味不明だ。

「二人とも邪魔！　女子の話に首突っ込まないで。ほら、仕事、仕事！」

治美にシッシッと追い払われて、合田と薬師神はブツブツと文句を言いながら相談室から離れる。

邪魔者が消えてホッとした治美は会話を再開する。

「彼の『嫁大好き病』は死ぬまで治らないね」

「はあ……すみません」

と、美月。

「ですよねー。合田先生はヘンタイですけど実家は太いし、あの外見と頭脳でしょう？　あれ以上のスパダリって実在します？」

「それがさあ、恐ろしいことにいるみたいなんだ」

「えっ……マジで？　それ絶対に聞きたいです！」


その夜、三人は行きつけの居酒屋に集まった。壁ぎわのテーブル席に陣取って、まずはアルコールを手に乾杯から始める。

「お疲れちゃーん」

めいめいが好きな酒を飲んでいる。治美は冷酒、相原と美月は共にレモン酎ハイだ。一番目に注文した焼き鳥の串を手に相原が声を上げる。

「先生、早速ですけどスパダリについて説明してくださいよー」

「うん。話せばちょっと長いけど聞いてくれる？」

「聞く聞くー！」

二人は興味津々で目がキラキラしている。

「少し前に、私と同世代の末期癌の患者さんが亡くなったのを覚えている？」

美月がハッとして治美を見る。

「はい、覚えています。先生、あの時は辛かったですよね」

「うん。かなり落ち込んで病院を出たんだけど、途中でコンビニのベンチに寝ている酔っ払いを拾っちゃって……」

「えええっ？」

相原と美月が共にのけぞる。

「拾うって……先生、お持ち帰りってこと？」

「うん……。も、持ち帰っただけ……だよ。それでね……」

治美はことの顚末《てんまつ》を説明した。寝たことは言えず、細かいことも端折った。しかし、相原は治美のちょっとした言葉のつかえも聞き逃さず鋭い質問を投げかける。

「本当に？　ただスパダリを助けただけなら、何を困ることがあるんですかぁ？　それに、その肌の色艶は只事ではないですよ。先生、隠さずに全て吐いた方がいいと思いますけど？」

「うっ……相原が怖い」

「先生、もしかしてその人といい感じになって交際を申し込まれたんですか？」

美月が優しく助け舟を出してくれる。しかし、かつての肉食獣相原は目を輝かせて首を振る。

「美月、いい感じどころの話じゃないみたいよ。その人ってば、すごーく独占欲が強いみたいなんだ！」

「そうなの？」

「だってさあ、手首の……」

そこで治美はギブアップをした。相原にシーと唇に人差し指を当ててから二人に白状したのだ。

「実は、寝た。翌朝には出張があるからって早くにいなくなってさ、それから連絡はなかったし貰《もら》ったはずの名刺も見当たらないから終わったんだと思っていたのよ」

「マジで？」

二人にドン引きされていたたまれない。しかし、経緯を話さなければアドバイスをもらうことはできないのだ。

「そしたら、イブの夜にマンションの入り口でその人に捕まったのよ」

「ヒェー！」

ますますドン引きする二人。

「そりゃそうだよね。キモイストーカー以外の何者でもない気がするわ」

「それで部屋に招き入れたんですか？」

「うん。入れた。それで彼の正体がわかったんだ」

「な、何者？」

二人がハモって身を乗り出してくる。治美はスマートフォンを操作して、一真の会社のホームページを開き、役員一覧の中の写真をタップした。

「それが、この人だったんだ」

そうして画面を二人に差し出した。写真の一真は前髪を後ろに流して実際の年齢よりも大人っぽく写っているが、その美貌は隠しきれない。

「えっ、マジで？」

「……わ、うそっ！」

社名と一真の地位、その顔面を見て二人とも絶句している。

「え、だってこの人……あの河野一族の御曹司でしょう？」

さすが情報通の相原はなんでも知っている。そんなことに関心のない美月でさえ潮造船の名は知っているようだ。

「潮造船の代表取締役副社長って……先生、とんでもない人に好かれちゃいましたね」

美月が気の毒そうに治美に言う。変態気質の夫に好かれすぎて困っているので、愛されすぎるしんどさはわかっているのだろう。

「私の場合は、単に好かれているというよりも、結婚相手としてロックオンされているだけなんだけど。ええと……何か意見などもらえないかなあ？　恋愛及び結婚の経験者としてご指導いただけると嬉しい……です」

「です……って、謙虚な先生が怖い。あの、ちょっとお相手の住む世界が違いすぎてピンとこないんですけど、ただ一つ言えることは……」

　相原が口籠もったので治美はドキドキしてきた。

「何？　相原、はっきり言って」

「先生……」

「え、何？　何なのっ？」

「先生すごいですっ！　出会いはアレですけど、最強のスパダリじゃないですかこのお方！　ぜひ実物を見てみたーい！」

　相原がグッジョブとばかりに親指を立てる。隣で美月は苦笑しているものの満面の笑顔だ。美月がおずおずと口を開く。

「住む世界が違っていたとしても、少しばかり変な人でも、先生が好きだったら大丈夫だと思います。だって、人は柔軟に変われますもん。お話を聞いていると、何か……思い込みの強さとか、ウチの夫にも似ているみたいで他人事とは思えないです。とにかく素敵な彼氏ゲット、おめでとうございます」

「そうだよー。先生、今度こそ幸せになってねっ！」

「二人とも、あ、ありがとう。とは言っても交際もまだ始まっていないけどね」

　二人が治美の話を疑いもせず信じてくれたことが、なんとなく嬉しかった。しかし、一真のプライバシーを尊重して、初めて出会った夜の彼の外道ぶりや猫のサーヤのことは話さなかったのだが、住む世界が違うと二人に言われたことは少し痛かった。

一真の言葉を信じて付き合ったとしても、釣り合わなくて苦労したり相手に迷惑をかけたりするのは嫌なのだ。

その後、三人が大好きなビーフシチューが来たので、フランスパンも頼んで無心で食べていたのだが……傍を通りかかった男性二人組に声をかけられる。

「あれっ、白石……？」

大好物を食べているところなのに誰？　とばかりに目をすがめて振り返ると、懐かしい顔がいた。

「えっ、渡辺……君？」

「おう！　久しぶり。今どこにいるんだよ？」

渡辺は医学生時代の同期だ。県外の大学病院でバリバリ仕事をしていると聞いていたので、こんなところで会うとは思ってもいなかった。治美が勤務先を伝えると、来月から近くの大学病院に勤務するというではないか。おまけにかなりいいポストが用意されているらしい。

「へえー、すごいね。心臓血管外科でバリバリオペしまくっているっていう噂は嘘じゃなかったんだ」

すると、渡辺がまんざらでもなさそうにニッと笑う。

「おう、結婚する暇もないほど必死に仕事をした甲斐《かい》があったってもんだ。なんちゃって」

「え、結婚まだなんだ！　まぁ、そういう私もまだだけど」

治美がガハハーと笑うと、話を聞いていた相原がすかさず渡辺達を同じテーブルに誘う。

「渡辺先生、お噂は彼から聞いています。私、麻酔科の奥田の婚約者です。よかったら同席なさいませんか？　白石先生と積もる話もあるのでは？」

「あっ、奥田先生の？　どうもお世話になっています。じゃあ同席いいですか？」

店の人を呼び、急遽《きゅうきょ》五人の飲み会が始まった。相原達に相談もできたし、昔の知り合いとの再会を祝って飲み明かそうかな。治美は上機嫌で杯を重ねる。今更だが五人で簡単な自己紹介をすると、渡辺が同期の合田医師を覚えていた。

「えっ、あの合田君の奥さんがこちら？　うわ、俺って浦島太郎だね。合田君が結婚していたなんて驚きだ」

「初めまして、合田美月と申します。夫がお世話になっております。あの、私も相原さんも先生と同窓の医学部看護科でして……」

「そうなんですか！　あ、連れも一学年下の……」

楽しい飲み会になったので、治美は上機嫌で合田医師の恋愛事情を暴露する。

「……しかもさ、合田君はこの奥さんに長年片思いしていたっていうんだから二重の驚きだったんだよねー」

「え、マジで！　あっ、そういえばさあ……」

「先生、後で合田先生に怒られますよー」

相原がこそっと釘《くぎ》を刺すが、そんなこと知ったこっちゃない。酔ってしまえばこっちのものだ。こうして、今ここにいない男を肴《さかな》に大いに盛り上がったのだった。帰り際、渡辺が嬉しげに名刺を差し出してくる。

「今日受け取ったばかりの名刺、白石もらってくれる?」

「おっ、ありがとう。あいにく私は持ってないからあげられないんだけど……」

「じゃあ連絡先を教えてよ」

そう言われて携帯番号を口頭で伝えると、渡辺は嬉しそうに登録している。同期に久しぶりに会ったから嬉しいのだろうと治美は思ったのだが……。

「渡辺先生って、絶対に狙ってますよ」

帰り道、相原がドヤ顔で言う。

「え、何を? てか、相原なんで得意そうな顔をしているの?」

「もう、鈍いなぁ。先生に最初に名刺を渡したり連絡先を聞いてくるのは、また会いたいからに決まっているじゃないですか」

隣で美月も頷いているが、治美は相手にしない。渡辺は県外の大学病院で苦労して腕を磨き順調に出世した男だ。久しぶりに同期に再会して嬉しかったに違いない。

「それはないな。学生時代から渡辺君とはいい友達だもん」

今の治美には、一真以外の男が目に入っていないのだ。相原もそれを感じて渡辺の話はそこで終了したのだった。

マンションに戻ってスマートフォンを確認すると、一真からメッセージが届いていた。以前マンション前の路上で待ち伏せされた時にやめてほしいと言うと、じゃあ連絡先を教えろと言われてスマートフォンの番号を教えていたのだ。

メッセージを送り合うなんて、本当に付き合っているみたいで恥ずかしいけれど、ちょっとだけ嬉しい。

『会食が終わってホテルに戻った』

業務連絡みたいだが、返信は必要だろうか？　しばらく放っておくと、またメッセージが届いた。

『既読無視？』

返信しなかったのでご立腹のようだ。

一真の人となりがまだ摑みきれていないので、同僚や友人のように軽く返せない。しかし、ここは勇気を出して通常運転で行ってみよう。

『業務連絡みたいだから返信はいらないと思ってた。お疲れ様、何を食べたの？』

待っていたのか、めちゃくちゃ早く返信があった。思わず治美の頬が緩む。こんなに甘酸っぱい気持ちは久しぶりだ。

『懐石。薄味で物足りなかった』

カップ麺の汁まで飲む人だから、まだ舌や胃袋が子供なのだろうか。それとも肉体労働者並みの活動なのか？

『カップ麺は禁止だからね』

『もうお風呂に入って寝れば？』

メッセージを連投すると、すぐに返事がくる。

『カップ麺は食べないから、電話してもいいか？』

『いいよ』

すぐにスマートフォンがブルブルと震える。治美はタップをして耳に当てた。

『治美……』

一真の甘く深い声が耳をくすぐって、たまらなく心地よい。

「お、お疲れ様です」

『今夜は声が違う。酒でも飲んだのか？』

そんなに頻繁に会っているわけではないのに、声の違いに気がつくのかと驚いた。

「仲のいい看護師二人と居酒屋で日本酒を飲んで美味しいものを食べてきた。焼き鳥と、モッツァレラチーズの入ったビーフシチューとか色々食べていたら、大学時代の同期にバッタリ会って飲みすぎたんだ」

『焼き鳥か、いいなあ。出張から帰ったら連れて行ってくれ。ちなみに同期って男か？』

「同期は男だよ。彼は他県の大学病院で研修をしたから十年ぶりの再会だったんだけど、心臓外科医としての評判は聞いていたから会えてよかったよ」

治美は常々、医師同士の繋がりは大切にしたいと思っていた。自分の患者を紹介する機会があれば気持ちよく診てくれるだろうし、友人は宝だと思っているからだ。それをわかってほしくて、つい喋《しゃべ》りすぎたが、一真の反応が薄くてちょっと焦る。

「あれ、どうしたの？　私、何か変なことを言った？」

『いや。治美の仕事のことはよくわからないけど、友人を大切にする気持ちはわかる。でも、俺はお前にプロポーズをしている男だぞ、男性の同期を嬉しそうに褒められるといい気はしない。でも、この時間に戻ってきているから許す』

私は一体、何を一真に許されたんだ？　一瞬自分の耳を疑ったが、すぐに気を取り直して話を続ける。

「えっと……じゃあ今度、居酒屋に連れて行ってあげる。お酒は何が好きなの？」

『なんでも飲む。仕事で酒の付き合いをしすぎて、自分の好みの酒はわからなくなったけど、家では国産の普通のウイスキーを飲むな』

「ふーん」

上の空で返事をしていると耳元でフフッと笑われる。

『そういえば、治美に拾ってもらった夜は、何を飲んだか覚えてないんだ』

「だろうね……ベロベロのボロボロだったもん。まあでも復活は早かったけど。一真が出張ばかりだと、お骨になったサーヤちゃんが寂しがるかも」

『そうだな。なあ、サーヤのことを話してもいいか？』

「う、うん。話して」

死んでしまって自暴自棄になるくらい大切な猫だったのだ。その猫の話をしてくれるというので治美は居住まいを正して耳をすませた。

『二十年ほど前のことだ。俺が小学生の時に母が家出をして、父が事故で亡くなった。その後俺と弟は祖父母に引き取られて育てられた』

「えっ……！　そうだったの」

『うん。母は料理をしなかったからお袋の味を俺は知らない。祖父の家では栄養士と調理師の免許を持った家政婦さんが栄養満点の食事を作ってくれたから、こんなに図体がデカくなったのかもしれない。弟も俺と似た体格だ。家には祖父の秘書やたくさんの人が出入りして、俺たち兄弟を見守ってくれていた……』

それでも、親のいない寂しさは消えなかった。

祖父の家に引き取られて数年が経った頃、子猫が家の駐車場で震えているのを見つけた。掌に収まるほど小さかったが、掌に感じる温かさや重さは猫の命の尊さのように感じられた。

自分の部屋にこっそり連れ帰り面倒を見ようと思ったが、翌朝祖母に見つかってしまい飼うことを反対された。しかし、自分で世話をすると言い張ってなんとか飼うことを許してもらったのだった。

　生活は豊かでも、優しく抱きしめてくれる母はいない。頼もしい父もこの世にはいない。捨て猫と自分の身が重なって感じられて、猫を絶対に離さないと誓った。

『猫は俺の服にしがみついて生きようと必死だった。それがサーヤだ。大学時代はサーヤと離れて生活をしたけど、長い休みには必ず祖父の家に戻ってサーヤと過ごした。祖父の会社に就職をしてからはペットOKのマンションに引っ越して、出張する時にはペットシッターに来てもらったけど、それ以外はずっと一緒に暮らしていたんだ。彼女はペットじゃなくて家族だった』

　一真の半生を聞き、治美の胸は憐《あわ》れみで締め付けられた。小学生の頃の一真を想像するとかわいそうで泣けてくる。

　捨て猫と自分を同一視して、猫を助けたいと願った一真。

　その猫が死んだ夜に悲しみのあまり深酒して、凍死から救った治美を、猫の代わりに遣わされた救い主だと思い込んでいるふしはある。

　しかし、今それを言うのはやめておこう。一真のサーヤに対する愛情が悲しくて哀れで、治美は言葉に詰まる。無言の治美を訝《いぶか》しく思ったのか、一真が声をかけてくる。

『治美？　起きているか？』

「う、うん。起きてるよ」

　ぐすんと鼻を鳴らして返事をしたものだから一真に心配される。

『寒いのか？　風邪声みたいだ。ごめん俺……』

「ううん、風邪じゃないよ。子供の頃の一真が可哀想で、想像していたら涙が勝手に……」

『治美……』

「ちょっと！　しんみりしないでよ。私そろそろお風呂に入るから切るね。おやすみ」

『サーヤのこと、聞いてくれてありがとう。おやすみ』

あの、尊大で図々しくてガタイの大きな一真の子供時代など想像もできないが、絶望なんて言葉も知らない小学生が突然母に去られ、父を亡くして弟と二人で寄る辺ない身を寄せあっている姿を想像すると切なすぎる。

鼻の頭を真っ赤にして小さな猫を抱いた一真。猫はきっと汚れてボロボロで一真に縋りついて鳴いていたのだろう。でも、誰かに縋り付いて泣きたかったのは一真の方だったに違いない。

「一真……」

治美はなぜか涙が止まらなかった。

この会話がきっかけとなり、治美と一真の心の距離はぐっと近くなっていったのだった。

3　モテ期襲来

「先生、おはようございます。あれ？　ますますお肌ツヤツヤじゃないですかぁ」

朝、コンビニでコーヒーを買って医局に向かっていると、相原とばったり会う。治美の恋愛事情を把握しているから揶揄《からか》って楽しんでいるのだろう。

「そりゃありがとう。エステにも行かないし、パックさえしてないけど」

「いえいえ。恋する女から滲《にじ》み出る色香が……おまけに再会した同期からは熱視線を向けられるし」

「はぁ？　そんなことないない。まあ、ここ数日は夜勤もないし、呼び出されもしないからぐっすり眠れてお肌の調子もいいのかな」

「そっち？　彼とは進展ないんですか？」

「向こうは出張中だもん、ないよ。てか、彼氏じゃないし」

「またまたー。口ぶりがもう付き合っているっぽいですよ。さっさと彼氏に昇格させてあげればいいのに」

「うん。いずれ……」

「ま、彼がダメなら渡辺先生という手も……」

「相原！」

渡辺とはそんな関係ではない。それに、プロポーズや主夫になる宣言を真に受けるつもりはないが、できれば一真とは焦らずにゆっくりと愛を育んでいけたらいいと思っていた。

治美は足取りも軽く医局に入っていった。


『治美の写真を送ってほしい』

そんなメッセージが届いたのは、ズタボロでマンションに戻り食事やお風呂を済ませてソファーでくつろいでいた木曜の夜のこと。

（えっ、今？　もうちょっとコンディションのいい時に言ってほしかったけど）

そうぼやきながら返信をする。

『写真、何に使うの？』

『観賞用』

なんじゃそれ？　吹き出しながら返信する。

『今夜はボロボロだからちょっと前の写真でもいい？』

『いい。欲しい』

つくづく迷いのない男だ。酔っ払いの時にはそうは思わなかったのだが、再会してから一真の言動を見ていると、ブレや迷いがないことに感心してしまう。

どこから見ても俺様なのに、相手には横柄に感じさせない。また、判断が速く的確なので同じ性分の治美は一緒にいると心地よい。

情緒がないように見えるが、決して自分勝手ではないし優しい人だと思う。まぁ……少々愛が重く、嫉妬深い面をこの前の電話で知ってしまったが、今のところ実害は……ない。

（不思議な人だなぁ）

治美は過去の写真データの中で少しでも写りのいいものを探しながらそんなことを考えていた。

できるだけ綺麗に見える写真を探していたが、ふとある写真に目が留まる。一年ほど前に相原達と居酒屋で撮った笑顔の写真だ。口を大きく開きすぎている気もするが、これが一番自分らしいと感じたので送ってみることにした。

メッセージに添付して送ると、秒で返信があった。

『いい！』

これはＧｏｏｄの意味だろう。ホッと安心してスマートフォンを置く。

そろそろ寝ようと思っていたところに、一真からの着信があったので急いでスマートフォンを手にとる。

「はい」

『なあ、何してる？』

「これから寝ようと思って」

『そうか。俺は治美に会いたい』

「……！」

こんなセリフを軽く言える一真はすごい。会いたいと思ったとしても治美はなかなか伝えることができないのだ。むにゃむにゃと言葉にならない呟きを返すと、一真がクックッと笑う。

『治美、照れているのか？　可愛いな』

「かっ！」

可愛いなんて、自分には一番似つかわしくない形容詞だと思っているから、治美は一瞬にして真っ赤になってしまった。目の前に一真がいなくてよかった。

「わっ、私寝るから切るね！」

スマートフォンを耳に当てたままで、リビングの電気を切り寝室に向かう。

『もう切るのか？　……治美、俺がいないからって、この前言ってた同期の男と会ったりしてないだろうな？』

「はあ？　このクソ忙しい私が誰と会うっていうのよ？　今日も疲れきって帰ってきたっていうのに。そんな馬鹿なことを言うんなら、この電話切るから」

『怒ったのか？』

「そういうこと。じゃ、おやすみ！」

治美は迷いなく話を終わらせた。こっちは仕事で毎日忙しい上に一真に振り回されて落ち着かないというのに。

「もう……人の気も知らないで……ばか」

電気を消して目を閉じたが、全然眠れない。いつもなら、ベッドにダイブした途端に気絶するみたいに眠りに落ちていたというのに、どうしたことだろう?

(もうっ、絶対に一真のせいなんだから!)

脳内で一真に文句を唱えていると、サイドテーブルに置いたスマートフォンがブルブルと震えていることに気がつく。

手に取ると、一真からの着信だ。しばらく眺めていたが、いつまでたっても鳴り終わる気配がない。治美はタップして応答する。

「はい」

『……ごめん』

いきなり謝られると、怒りの矛先を失ってしまうではないか。

「何がごめんなんですか?」

一真がはーっと息を吐いてボソボソと謝罪を始める。

『治美に会えなくて、忙しすぎて、むしゃくしゃしていたんだと思う。俺が勝手に嫉妬してくだらないことを言った。さっきはごめん』

「いや……私も疲れすぎて余裕がなかったね。でも一真、嫉妬は無用だよ。私はそんなにいい女じゃないから」

『治美はいい女だ。俺が惚れたんだから間違いない』

自信たっぷりなセリフに迂闊《うかつ》に突っ込めない。一真のこの自信に確かな裏付けがないのは、当の本人の治美がよく知っている。

『わかった、じゃあそういうことで。もう怒ってないから……切るね』

怒りも治まって、そろそろ眠くなってきた。明日も早いから、治美は早々に電話を切ろうとした。しかし……。

『治美、切らないでくれ。お願いだ』

「えっ……」

一真の切なそうな声にドキッとする。治美は体を起こして、ベッドのヘッドボードに背を預けた。何かあったのだろうか？　心配になって声をかける。

「一真、大丈夫？」

『大丈夫じゃないって言ったら、ここに来てくれるのか？』

東京支社に出張と聞いていたのでそれは物理的に無理だ。明日も仕事があるから急な休みは難しいし航空チケットを手に入れる必要がある。しかし治美は、あの雪の夜の不安定な一真を思い出し咄嗟《とっさ》に返事をした。

「いくよ」

『えっ……』

一真が息を呑んだのがわかった。治美の返事が予想外だったのだろう。それはそうだ、当の治美が一番驚いていた。しかし言葉は口をついて出てくる。

「一真が辛くてたまらないのなら行く。私はあの雪の夜、酔っ払いの大男を拾った女だよ。東京に行くくらいなんともない」

何を言っているのだ私は！　さっきまで怒っていたくせに、まるで愛の告白みたいな決意表明がスラスラと口から出てとまらない。

『……ありがとう。その言葉だけで十分だ。治美、おやすみ』


翌日。

昨夜の弱気な一真の言葉が気になったものの、病人は次から次へと容赦なくやってくる。外来をこなしてヘトヘトになりながら、医局に辿り着いたのは午後二時になっていた。自販機の前では合田と薬師神が仲良くコーヒーを飲んでいる。軽く会釈をして部屋に急ぐと背後から合田に声をかけられる。

「白石、大学病院に赴任した渡辺から飲み会の誘いがあったがどうする？」

先日居酒屋で再会したばかりなのに早速飲み会の誘いとは、渡辺はそんなに酒好きだったのかと首を捻《ひね》る。

「飲み会かぁ……お酒は好きだけど、しばらくいいかな。今回は遠慮しとく」

「お前……」

合田が呆れ顔でこちらにやってきて耳打ちをする。

「相変わらず察しが悪いな。渡辺が『白石に会いたい』と俺に頼んできたんだよ。お前が独身だと知って俄然《がぜん》力が入っているんだ」

「……えっ？」

一真の嫉妬は的を射ていたのかと驚愕する。偶然再会した同期の話をしただけだったのに、それだけでライバルの気配を感じとるなんて……一真の動物的な勘がちょっと怖い。

渡辺が好意を寄せてくれるのはありがたいが、正直に言うと一真だけでもう手いっぱいなのだ。渡辺とは、いい友人関係だけを築きたいと切に願う。

「信じられないことだが、白石はモテ期に入ったのかもしれない」

割と失礼な言い種だが、それさえも気にならない。

「悪いけど渡辺君に断ってくれるかな。その気はないし、ちょっと最近忙しくて無理なんだ」

一真の機嫌を損ねたくないとも思うし、断る理由はそれだけではないのだ。仕事は忙しいし、正月明けには父親の還暦祝いで休みが潰れる。休息が取れるのは正月の三が日だけ、その内一日は間違いなく寝正月になるだろう。この世にブラック企業は多々あるが、公立病院勤務の若手外科医のスケジュールなどはブラックの最たるものだ。

「わかった。それにしても最近忙しいな、手術も俺より多いんじゃないか？」

「そうなのよ、外来の曜日が変わってから患者が増えた気がするんだ。外科部長に頼んで調整してもらおうかな」

「しんどかったら言えよ。手伝いに入るから」

「やだ怖い、合田君が優しい」

「お前なぁ……」

合田にゲンコツで頭をゴリゴリされて本気で痛い。それを見た薬師神が自販機に隠れて震えている。きっと治美が怒られているとでも思っているのだろう、可愛い奴だ。

治美は部屋に入ると冷めた弁当を開けて栄養補給を開始した。

弁当を咀嚼《そしゃく》しながら、両親のために道後の超高級旅館の予約を始める。還暦の父に二泊三日の温泉旅行をプレゼントするのだ。実家から道後までは車で三時間くらいの近い距離だが、同県民であっても、なかなか温泉旅館に連泊する機会はない。

おまけに今回は超高級旅館なので、一泊だけすることになった治美も楽しみなのだ。田舎住まいの両親も久々の遠出だから、買い物や映画など色々楽しみたいだろう。

一真からは毎日メッセージが届くが、有頂天にならないように心がけている。結婚だの子供だの、以前はおかしな妄想を語っていたが、最近ではそれも鳴りを潜めて普通の業務連絡みたいになっている。

治美の数少ない恋愛経験からいうと、最初は恋愛感情があっても月日が流れていくうちにサバサバとした友人関係に移行するのが常だ。

(多分……一真も熱が冷めて、自分の地位にふさわしい人を選ぶんだよね)

悲しいけれど治美はそう予想していた。今も『靴のサイズは？』『好きな色は？』などと、何か買ってくれそうな匂わせメッセージが送られてきたので、深く考えずに『二十三センチだよ。色はピンク以外ならなんでもいいよ。ピンクは運命的に似合わない』と、ややコンプレックスを秘めた自虐メッセージを返してしまった。
ピンクも着てみたいが、本当に似合わないのだ。骨格のせいか、はたまたこの色気のない顔のせいか……悲しいことだ。

仕事納めは二十八日で、外来診療もその日は午前で終わる。しかし病院は不休で、急患や入院患者の対応はずっと続くのだ。治美を含む外科医局員達は外科部長の恐怖のあみだくじを引くのだが、治美は三が日が緊急対応の期間になった。ちなみに合田は薬師神と一緒に二十八日から三十一日までが当番で、妻とすれ違いになるらしくブツブツとぼやいていた。

師走の時期は何かと忙しく、すぐに仕事納めの日がやってくる。東京から戻った一真から電話でデートの誘いがあり、治美のテンションはふわふわと落ちつかない状態だ。
互いのスケジュールを調整して二十九日がデートの日となったが、なぜか前日から治美のマンションに泊まると言う。不思議に思い前日から泊まり込む理由を聞いたが、『治美に早く会いたいだけだ』などと言う。部屋が片付いていないので断りたかったのだが、一真は譲らない。こうと決めたら自分の意志を通すのは一真の気質のようだから、治美は結局泊まりを受け入れた。

忙しすぎて掃除ができずに埃《ほこり》が舞っていたマンションの部屋に掃除機をかけて、なんとか人を招いても大丈夫な程度に整えた。寝室のリネンをとっておきの新しいものに変えながら、一人で言い訳をする。

「これは正月を迎えるから綺麗にするんだよ。一真が来るからじゃないんだから」

そろそろ訪れる時間になったので、洗面室で髪の毛を整える。鏡には、いつもと変わり映えのしない見慣れた顔が映っている。ここ数日、忙しすぎて疲れが溜《た》まっているせいか、ほうれい線ができている気がして頬の皮膚を伸ばしてため息を漏らす。

エステや美容室にも半年以上行っていない。女子力がほぼゼロのこんな女の家に通ってくる男はよほどの物好きだと思う。

その物好きが段ボール箱やショップバッグを携えてイソイソとやってきた。

「これ……どうしたの？」

玄関に入るなりそれらを廊下に置く。

「土産や色々だ。……ん？　一つ足りないな」

すると、ドアフォンが鳴ったので急いで出る。小さな画面には、ロビーに立つスーツを着た若い男性が写っている。

「恐れ入ります、白石さまのお宅でしょうか？　そちらに河野はおりますでしょうか？」

「はい。今来られました」

「私、河野の秘書の崎山《さきやま》と申します。わ……」

対応していると受話器を一真に奪われた。一真はロックを解除してエレベーターホールへのドアを開けながら話をする。

「崎山、荷物を上げてくれるか？」

「かしこまり……」

相手が話をしている最中でプチンと会話を切って玄関に向かう。せっかちな最悪上司の典型のようだ。治美は半ば呆れながら一真とその荷物に目を向けた。

玄関のドアフォンが鳴ると一真が対応している。我が物顔にも程があるが、秘書が来たのなら黙っておこう。すると、嬉しそうな顔をして風呂敷で包んだ荷物を持ってきた。

「治美、これを冷凍庫に入れてくれ。大晦日《おおみそか》に冷蔵に移しておくと一日の夜には食べられる」

「これ何？」

「おせちだ。デパートで一番人気らしいぞ。仕事が忙しくて正月気分を味わえないだろうから買ってきた」

「えっ、おせちを買ってくれたの？」

今年も病院から提供されるお雑煮で、侘しい正月になるのかと思っていたのだが、おせちを食べられるなんてめちゃくちゃ嬉しい。おまけに見るからに豪華な内容で、お品書きを見ると有名な老舗料亭のものだとわかった。

（これ高いよね、悪いなぁ……）

「ありがとう。こんなことしてもらって嬉しい。いくらかかったの？　払うよ」

治美は財布を取り出して払う気満々だ。

「喜んでもらえてよかった。俺が勝手に持ってきたんだから代金はいらない。崎山が取り寄せてくれたんだが、治美が喜んでいたと伝える」

「えっ、そんな……悪いわ。秘書さんはもう帰られたの？」

「帰ったよ。これ以上くっつかれても嫌だし、あいつも俺から早く解放されたいだろう」

たしかに、一真はもしかしなくても厳しい上司だろうから、秘書も大変に違いない。おまけに個人的な買い物まで頼まれて、治美は崎山に同情していた。それにきっと諭吉が数枚飛ぶに違いないものなのに、代金はいらないと言われてもこちらが困る。

「一真、でもお金を……」

治美が財布から万札を数枚取り出すと、一真が笑って制する。

「本当に、いらない。俺と付き合ってお金の心配をしてくれる人間は治美くらいのものだ。お前本当に面白いやつだなぁ」

何人と付き合って散財したのかと、そこが気になるところだが、そこまで言われては引っ込めずにはいられない。

「じゃあ……喜んでいただきます。ありがとう」

畏まって礼を言うと一真がフフ……と笑いながら玄関に積み上げた物をリビングに運んできた。

「悪い。これはお土産や色々なんだが、こちらも受け取ってもらえると嬉しい」

「えっ？」

治美は冷凍庫を閉じると、恐々とリビングに向かう。

（一体何をこんなに買ってきたんだろう？　怖いんですけど）

ショップバッグにはチョコレートやビスケットや和菓子など、様々な東京土産が入っていた。お土産は素直に受け取っておくことにしたが、治美は「うわ」だの、「ぎゃー」だの大騒ぎで包装紙を開けていった。最後に残った大きな箱とショップバッグには、治美には縁のないハイブランドのマークが記されている。

それには手をつけず、ジーッと見つめていると一真がシールを剝がして箱を開ける。包装紙を解き、無造作に中の物を取り上げて広げる。それは、柔らかい素材のワンピースだった。色はピンク、治美が似合わないと話していたピンクを一真は選んでいた。

「デートのときに着てほしいと思って一式を揃えたんだ。趣味に合わなければ変えさせるが、できたらこの色を着てほしい。治美はピンクが似合わないと言っていたけど、店の人に聞くと、ピンクも様々で絶対に似合う色があるはずだと……」

治美が顔に当ててみると、一真が微笑む。

「似合うよ、素敵だ。見てきてごらん」

言われるがまま洗面室で見てみると、甘すぎない絶妙なピンクは治美の肌や髪の色にしっくりくる。逆に顔色がイキイキと見えて若返った気がする。

「すごい……」

リビングに戻り一真に礼を言う。

「これならピンクでも私に似合う……と思う。こんなに簡単にコンプレックスを解消されるなんて不思議な気分」

「治美が本当はピンクの洋服が着たいんじゃないかと感じたんだよ。無意識に諦めていたんじゃないか？　それに治美が身につけている下着には、どこかしらピンクが入っている」

「あっ……」

「な？　俺の眼力も大したもんだろう？　ところで、ワンピースに合わせて選んだバッグがこれだ。それと靴もある」

そう言ってもう一つの箱を開くと、中にも箱があり靴とバッグが入っていた。

「わ……すごく素敵！」

ここまでしてもらっては申し訳ない……。そう思ったが、スタイリッシュなハイヒールと小ぶりなバッグの美しさに、治美は思わず感嘆の声を上げた。

今まで、高級すぎるブランド物は身にそぐわないと思い購入したことはなかった。病院の近くのデパートにこのブランドのショップはあるが、入ったことはないし入るのも怖い。

医師だけれど公務員なので、給料はバカみたいに高いわけではないのだ。

それにしても……こんな服一式を簡単に購入してポンとプレゼントするなんて、まるでどこかの国の王侯貴族みたいだ。やはり一真の経済感覚は自分とは全く違うのだとわかる。

「治美、どう？　気に入った？」

それでも自分の感覚が一般人とは違うことは理解しているのか、心配そうに尋ねてくる。

「う……ん。ちょっと驚きすぎて言葉にならない。なんだか、簡単に受け取ってはいけない気がするんだよね。それに、下世話で申し訳ないけど、かなりのお値段でしょう？」

治美の表情を見て、プレゼント攻勢が逆効果だと感じたのか、一真の表情が一瞬曇る。

「そう言われると弱る。ふらっと立ち寄った店に治美に似合いそうな靴があったんだ。サイズを電話で聞いただろう？　で、翌日に同じ店で一式を揃えたんだ。俺のプレゼントで嫌な気分になったのならもうしない。でも、今回だけは着てくれないか？　治美は何を着ても可愛いんだってことを証明したい」

そんなことに一生懸命にならなくてもいいのに……そう言いかけて止めた。

多分一真は、治美のコンプレックスを見抜いている。そして、それを解消してくれようとしているのだ。

治美は、一見ぶっきらぼうな一真の優しさに気がついてしまった。

「……じゃあ遠慮なく着させていただきます。そのかわり、半分は私が出す」

「いや、それは止めてくれ」

「どうして？」

「頼むよ。好きな女に服を買ったのにお金を返されたら悲しい」

「一真……」

必死な顔で言い募るから、結局治美は言い分を引っ込めた。悲しいだなんて……そんなものだろうか？　治美はこれまで男性から高額なプレゼントをされたことがないので、よくわからないのだ。おまけに、『好きな女』という言葉は確かに耳に届いていて、そっちの方に動揺してしどろもどろになる。

「わかった。あのっ、ありがとうございました」

「いいえどういたしまして……って、他人行儀だとやりにくいな。今回のことを肝に銘じて、次回からプレゼントはさりげなくするよ」

「う、うん」

プレゼントなんていらないのに。そう言いかけてやめた。一真はいつもしたいことをするのだ。それを止めるのは難しい。そういう人なのだから。

片や治美は、大学は奨学金で頑張ってここまできたものだから、経済観念が一真とは違う。

色々と思うところはあるものの、それは後でゆっくり考えることにして、二人はお腹が空いてきたのでLサイズのピザを頼んでビールと共にペロリと平らげた。

治美はお腹を撫でて呟く。

「これは太るなあ」

「そうか？　じゃあ運動する？」

「え……？」

一真の顔が迫ってきていきなり唇を塞がれる。舌がするりと入ってくると、治美の背がゾクゾクッと期待で震えてくる。

いつもそうだ。キスから始まる一真の行為は治美を簡単に溶かしていく。ソファーに体を横たえると、熱い体がのしかかる。

ふとテーブルの上のピザの箱や飲みかけのビールが気になった。治美の些細《ささい》な体の緊張を察して一真の動きが止まる。

「どうした？」

「あ、うん、片付けが……」

一真は立ち上がると、ピザの箱やグラスをキッチンに運ぼうとする。

「私がやるよ」

「いいよ、治美はベッドで待っていてくれ。可愛いピンクの下着で」

「うっ……」

一真の言うとおりだ。今日はブラウン系だけど、ピンク色の花の刺繍《ししゅう》が施されている。しかし、一真に言われるまで自分がピンクが好きだとは認識していなかった。一真は治美の下着を見てそれがわかったのだろう。そして、内心では自分に自信がもてないでいることも。

（なんでそんなに鋭いのよ？　怖いんですけど……）

翌日、初めて二人で外に出かけるので治美は結構緊張している。

今まで『おうちデート』ばかりだったので、お手軽な女扱いなのだと思いこんでいたのだが、昨夜のプレゼント攻勢が桁違いに豪華で逆に怖くなってしまった。

以前『結婚』と言われた時に治美は激しく抵抗したものだから、あれ以来一真は結婚という言葉を口にしていない。しかし……。

一真から送られたワンピース他一式を身に付けて街を歩けば、店のウインドウに映る自分の姿が別人みたいでちょっとした驚きを感じていた。

（どこかのお嬢様みたいに見える。ブランド服の威力ってすごい……）

映画が見たいという一真のリクエストでアクション映画を見ることにした。ものすごく久しぶりの映画デートだと言うので、なぜかムッとして聞いてみる。

「どれくらいぶりなの？」

「多分、高校生。あの時は何を見たっけ」

「ふーん」

高校生なら許してあげよう。

「治美の映画デートはいつぶりなんだ？」

ついでに聞かれてちょっと焦る。看護師の元カレと別れる少し前にも映画に行ったからだ。それが言えなくて治美は嘘をついた。

「忘れた」

これくらいの嘘は許してもらいたい。しかし一真は「ふーん?」と言って治美の横顔をジーッと見ている。

この男は勘がいいのだ。ずっとこちらを見ているものだから、治美はとうとう白状した。

「半年くらい前……元カレと別れる少し前に映画に行ったかな。ごめん、言いにくかったから嘘ついた」

「うん、言ってくれて良かった。『元カレ』のことは詮索しない。聞きたいけど痩せ我慢して聞かないことにする」

そう言ってギューっと治美の手を握る。

(えっ、手を握られちゃった!)

映画館で手を握られるなんて、なんて甘酸っぱい行為なんだろう。治美は嬉しくてドキドキしていた。画面いっぱいに広がる青い空や縦横無尽に飛ぶ戦闘機も目に入らない。

映画の後は予約していたというレストランに向かう。山の手に悠然と佇《たたず》むその建物は、昨年オープンしたフレンチの人気店だ。

なんでも、海外や都心のフレンチレストランのトップシェフを務めた人物が故郷に戻って作り上げた店ということで県内外から客が途絶えないと聞いている。医局の忘年会に利用しようとしたけれど予約が取れなくて残念な思いをした店だった。

「ここ、予約が取れないって聞いていたんだけど」

「らしいな。ウチはよく接待に利用しているから予約は取りやすかった」

「……そうなんだ」

一般客は予約をしたくても半年待ちらしいのに、一真の会社のおかげであっさりと入れることに罪悪感が湧いてくる。

一真は祖父の家に引き取られてからずっと競争社会の頂点に立つことを運命づけられているのだろう。治美は一真と自分の生まれ育った環境との違いをまざまざと見せつけられた気がした。

料理はどれも最高に美味しく、治美はいつの間にか食事に夢中になっていた。店内では恭しく接客をされ、自分がすごく上等な人物になったような錯覚さえ覚えるほどだ。

酔っ払ってコンビニの前で寝ていた姿と、ほぼベッド上の一真しか知らなかった治美は、シェフと談笑する姿や食事を終えてロビーにいるときにたまたま会った知り合いと会話を交わす一真を見て、その洗練された話術や威厳さえも感じられる態度に、改めて彼の社会的地位の高さを意識せざるを得なかった。

帰りのタクシーの車内で一真は治美に囁く。

「今更だけど、今日の治美はすごく綺麗だ」

「あ、ありがとう。一真がプレゼントしてくれたワンピースのおかげだよ」

「いや、それだけじゃないよ。本当に綺麗だ。その唇の色も素敵だし」

いつもはほとんど化粧をしないが、今日は特別にフルメイクをして、とっておきのルージュを塗ったのだ。それを褒められて治美の頬がじんわりと染まる。

（こういう細かいところを見逃さない人なんだよね……）

今年最後の一真との逢瀬《おうせ》は、治美にとってさまざまな思いが溢れる一日となった。

明日から一真は社長である祖父と一緒にまた東京に行くのだそうだ。なんでも政財界の面々との華やかな集まりなど、年末年始の社交行事が控えているらしい。

治美も正月三が日は仕事だし、しばらくは会えなくなりそうだ。

「東京の後は接待三昧だ。落ち着いたら電話をするよ」

そう言って、一真はマンションを出て行った。


しばらくは一真に会えない。

それを聞くとなんだか気落ちしてしまう。一真は、自分がいない正月を少しでも楽しいものにしてほしいと思いおせちを買ってくれたのだろう。その細やかな心遣いが嬉しかった。元カレの『女の子扱い』とはまた違う、経済力に裏打ちされた優しさというべきか……。

おせちは解凍して元旦の夜に日本酒と共に食べた。冷凍とは思えない美味しさで、さすがの味だった。量もあったので、元旦以降も楽しむことができて助かった。

来年、もし一真との仲が壊れていたとしても、またこのおせちを買って正月を楽しみたいものだと治美は思った。

正月気分も消えつつある一月の第二週の土日、治美は父の還暦のお祝いのために完全な休みをもぎ取り道後温泉の高級温泉旅館で過ごした。

父は公務員で県の地方局勤務をしている。真面目だけが取り柄の男で、四十年近く滅私奉公を続けている。治美は父の不器用すぎる性格を愛していた。そして、自分がその血をはっきりと受け継いでいることを痛いほど自覚していた。

父も定年を迎える年齢となり雇用延長制度でまだ仕事は続けるものの、公僕としての一区切りがついたので、娘としては今までの感謝を込めて、母と共に温泉でゆっくりと過ごしてもらおうと思ったのだ。

一泊して朝食を摂り一息ついた後は、街をブラブラして買い物に付き合う予定だ。支度が早い治美はロビーで両親を待っていた。

すると、離れたところから英語や耳慣れない外国語が聞こえてきたので顔を上げると、数人の外国人男性がエレベーターを降りてロビーに向かってくるのが見えた。服装はラフだがよくいる観光客とは違って、上流層のような落ちついた雰囲気がある。

治美がぼんやりと眺めていると、後から合流した男性の中に一人だけ日本人がいるのに気が付いた。なんと男性は一真だった。

この旅館を利用することを一真には話していなかったので、嘘みたいな偶然に治美は驚愕した。

接待があると言っていたが、このことだったのか。彼らは笑顔で談笑しているのだが、大柄な外国人の中にいても一真は一際目立っていた。

「治美お待たせ」

ようやく両親が降りてきた。

「待ったわよー。お母さんはデパートで買い物だったよね？　じゃあ行こうか」

一真は仕事だし、自分は両親と一緒だ。声はかけないでおこう。治美はそう考えて一真達の集団に背を向けた。

鍵をクロークに預けて旅館を出て行こうとしたところで背後から深く男らしい声がかけられる。

「治美！」

前方を歩く両親が立ち止まり振り返る。治美も立ち止まり、駆け寄ってくる声の主を見上げた。

「一真」

「こんなところでどうした？」

「父の還暦のお祝いに温泉旅館での連泊をプレゼントしたのよ。これから買い物に行くところ」

一真がハッとして治美の後ろの両親を見る。図らずも一真を両親に紹介しなければならなくなり、どうしようかと迷った末、『友人』だと言うことにした。

「お父さん、お母さん、こちら河野一真さんです。偶然会ってしまって……あの……お友達なの」

治美の紹介に一真は笑顔を見せて頭を下げる。

「はじめまして。河野一真と申します。治美さんとお付き合いをさせていただいております。偶然とはいえお会いできて光栄です。どうぞよろしくお願いいたします」

やられた……。一真は迷いなくはっきりと両親に二人の関係を告げた。両親は目を見開いて驚きながらも笑顔で応える。

「はじめまして。父の良三《りょうぞう》です。これは妻の美子《よしこ》です」

「まぁまぁ治美ったら、そんな方がいるなんて何も話してくれないから。河野さん、どうぞよろしくお願いいたします。今日はお仕事か何かで？」

「はい。会社の……接待のようなものです」

「そうですか、お忙しい方なんですね。……良かったら今度治美と一緒に我が家にいらしてくださいね。春なら新鮮な鰹《かつお》のお刺身をご馳走《ちそう》します」

「ありがとうございます。あの、ご実家は……」

「太平洋に面した海岸線が綺麗なところでして、釣りでも一緒にいかがですか？　少し遠いですが、是非いらしてください」

母の『家に来い』アピールや、父の釣りの誘いに治美はかなり慌てたがもう遅い。一真は満面の笑みを浮かべている。

「釣りは好きです。ぜひご一緒したいです」

「あなたったら、磯《いそ》釣りはダメよ。プレジャーボートを借りないと」

父の趣味は磯釣りだ。海に突き出た岩の露頭で行う釣りで、波しぶきを浴びることは必至だし、足が滑ると海に落ちてしまう。おまけに早朝から急斜面の崖を降りて足場を探さなければいけないものだから、慣れない人には大変危険なレジャーだ。母はそれを心配しているのだが、治美はあまり心配していない。

一真が危険な釣りに同行することはないだろうと思うからだ。しかし、父は呑気なもので一真の長身を見上げてニコニコしている。

「河野さんは体格がいいから大丈夫じゃないか？　磯釣りはされたことはありますか？」

「都会の人に磯釣りなんて……」

両親の言い合いを黙って聞いていたものの、治美はちょっと恥ずかしくなってきた。おまけに一真の地位を知らないとはいえ、両親があまりにも気安く話しかけるので治美はいたたまれない。

しかし、これが家族の良いところでもある。それがわかっているので、コントのような両親の会話を黙ってやり過ごすことにした。

「磯釣りは海外でしたことがあります。私は瀬戸内の人間なので、以前から太平洋での磯釣りに興味がありました。お父さん是非連れて行ってください！」

「嬉しいことを言ってくれるねぇ、河野さん、治美と仲違いしても気にせず一緒に釣りに行ってくれますか？」

「お父さん！」

これには治美も思わず声を上げる。

「ははっ！　仲違いは絶対にしないつもりですが、楽しみにしています」

父の言葉に一真が易々と同調するものだから、治美は気が気ではない。置き去りにした外国人達がこちらを見ているのも気になる。

「一真さん、お友達が待っているんじゃないの？　私たちもそろそろ出かけるから……」

思わず声をかけると、一真は両親に頭を下げ治美に連れの説明をする。

「彼らは海外事業所の責任者達なんだよ。久しぶりに本社にやってきたので、日本の良さを満喫してもらおうと思って宿泊先を温泉旅館にしたんだ。これから皆で系列のゴルフ場でプレイをする」

「だから皆さんポロシャツにスラックスなのね。それにしても壮観だね」

「そうか？　ま、彼らの相手もあるから、数日は会えないんだよ。今夜連絡する」

「あ、うん。行ってらっしゃい」

一真は治美の腕を取り両親から少し離れた場所に誘う。そして、両親に背を向けてボソッと言う。

「なぁ、キスしたらダメか？」

一真の突然の言葉に治美は耳を疑った。

「キッ……！　ばかっ、ダメに決まっているでしょう。もう行って！」

「ははっ！　じゃあ行ってくる」

笑顔で手を振る一真を治美は呆れて見送る。

（はーっ、焦った。それにしても、お父さんと一真が釣りだなんて……ないわー）

振り返るとニヤニヤ顔の両親がこちらを見ていた。治美は無表情を貼り付けて声をかける。

「じゃあ行こうか？」

母が治美の腕をとり嬉しそうに言う。

「治美！　あんな素敵な方とお付き合いしているのをどうして内緒にしていたの？」

「ご、ごめん。ちょっとまだ気持ちの整理が……」

治美がボソボソと言い訳をすると母が首を傾げてこちらを見るが、まさか交際の始まりが酔っ払いのお持ち帰りだなんてとても言えない。

しかし、両親と街を歩いているうちに、実直なだけが取り柄の父親と世界を股にかける一真が田舎の海岸で釣りをする姿を想像して内心でウケていた。おかげでニヤニヤ笑いが止まらなくなって困る。

デパートで母の買い物に付き合った後、街をブラブラして旅館に戻る。両親は夫婦水いらずで今夜もう一泊して故郷に電車で帰る予定だ。治美は明日仕事があるのでマンションに戻ることにした。治美を見送るためにロビーに降りた母が呟く。

「河野さん、お立場も平凡な方ではなさそうね。でも治美を大事にしてくれそうだからよかったわ」

「お母さん、全然そんなんじゃないのよ。先走らないで」

男の素性も職業も詮索しない母。父もそうだ、人を肩書きや外見で評価しない人間だから何も聞かない。会って話をして人となりを自分の目で判断している。

（逆に私は、両親を田舎者扱いしちゃったんだよね。私が一番ダメな人間だな）

治美は、一瞬でも両親を『恥ずかしい』と感じた自分を責めた。


その夜、一真からの電話で『恋人だと紹介してくれなかった』と悲しそうに言われて申し訳なさでいっぱいになる。

「ご、ごめん……」

『うん。照れくさいのかもしれないけど悲しかったよ』

「両親をびっくりさせたくなくて曖昧な紹介になってしまったんだよね……」

プロポーズされてはいるけれど、あれは一時の気の迷いかもしれないし……異常に疑り深い性格に呆れられるだろうと思いつつ、治美は勇気を出して聞いてみた。

「あの、今更だけど……私たちって、やっぱり付き合っている……んだよね？」

『治美、俺をからかっているのか？　逆に聞きたいんだが、お前は付き合っていないと思っていたのか？』

「ううん。付き合っているつもり……だよ」

『ならいい。俺は治美を彼女だと思っているし、結婚の申し込みだってしている。未だ返事はしてもらえないけどな。俺が祖父を説得したら、祖父母にも会ってもらえるか？』

「それは……ちょっと、考えさせて」

一真の家族に会うのはまだ先にしてほしいものだ。そもそも、クリスマスの前に一真を拾ってからまだ一ヶ月も経っていないのに、展開が早すぎてついていけない。

治美自身は決断の早いタイプだが、私生活ではやや用心深いというか消極的なところがある。それにしても一真の決断スピードは普通じゃない気がする。

今日だって、ぐいぐい押し切られてしまった。治美が柄にもなくウジウジ悩んでいると、早速察知した一真が言う。

『なあ、悩むよりも俺に相談してくれよ。祖父に会うのが嫌なら、しばらくそのことは言わない』

「うん。ありがとう、ちょっと色々考えるね」

もう電話は切れるのだと思って、じゃあそろそろ……と言おうとしたのだが、一真は突然妙なことを言い出した。

『なあ、今日の下着は何色？』

「え？　今日はえっと……白地にピンクの刺繍だよ。突然どうしたの？」

『いや、下着も俺が買っていいか？』

この男、何気に治美が身につけるものにうるさいのだ。以前みたいに高級すぎる服や装飾品は困るが、下着ぐらい仕方ないかと思い快諾してサイズを教えた。どんな下着を買ってくれるのか、一真の趣味に興味がある。

「うん、いいよ。そういえばブルー系を持っていないかも」

『わかった。なあ、下着だけを着ている写真を送ってくれないか？』

いきなり一真にエロスイッチが入ったみたいだ。この男の行動は本当に予想がつかない。

「ダメです。そういうのはお断りします」

一真に限ってはないとは思うが、別れた後に妙な写真を拡散されても困る。このネット社会、そういうトラブルをよく見聞きする。

『だよな……じゃあ治美のエロい顔を思い出して自分でするわ』

「……え？」

今、衝撃的な発言を聞いてしまった。何をするって？　この男、性に開放的というか、衝動に忠実すぎないか？

「何言ってるの？　このヘンタイ」

『一人Hのどこが変態なんだ？　治美は時々処女かって思うようなことを言うよな。ま、そんなところも可愛いけど』

「かっ……」

『治美、一真って呼んでくれ』

「え、か、一真……？」

『もっと優しく甘えるように』

なんなのだ？　戸惑いながらも真面目人間の治美は、言われるがまま高めの声で一真の名を呼ぶ。すると一真が深いため息をつく。

「何、どうしたの？」

『言っただろう、一人Hをしているんだよ』

「えっ！　マジで？」

本気だったのか？　一瞬通話を切ろうかと思ったが、ちょっとだけ一真の一人Hに興味を持ってしまった。まったく……一真のやることはこちらの想像を軽く超えてくる。

『治美……』

切なそうな声で名を呼ばれて、なんだか下腹から甘い疼きが湧いてくる気がする。

しばらくすると一真の荒い息遣いが耳元に伝わってきた。していることが容易に想像できてこちらも妙な感じになってくる。

体が熱い……体温が上昇しているみたいだ。

なんだか急に肌が敏感になったようで、パジャマの生地が胸の先端をかすめてムズムズしてくる。そっと肌を掌で撫でると柔らかい感触が心地よい。

今自分の肌を撫でている手が、まるで一真のものであるかのような錯覚に陥りそうだ。

耳元で一真の息が切羽詰まったものに変わる。吐息と共に名を呼ばれて、掠れた声で返事をする。

『治美』

「は……い」

治美の指は胸の先端を彷徨い、微かな愉悦が生まれる。

『治美も自分で触れてみて……』

「ん……」

言われるまでもなく、指先で先端を摘めば電気のような快感が走り体がビクッと揺れる。

こういう時だけ素直なのはいかがなものかと思いながら治美は自分に触れていた。

ハンズフリーにして両手で胸に触れながら目を閉じる。スマートフォンから漏れる一真の微かな声や息が耳に届くと、首筋から背中にかけてゾクゾクと震えが走る。

いけないことをしているのに気持ちよくて、すごく淫らでいやらしくて……気持ちいい。

治美の指は下着の中に滑り込み陰裂を進む。グチュ……と水音が響き、愉悦が走る。

「あっ……」

思わず声が漏れて、めちゃくちゃ恥ずかしい。

『自分で触っているのか？　治美、答えて』

「う、うん……シてる……」

『濡れているのか？　なあ、ぐちゃぐちゃに濡れてる？』

「ん……」

『指を中に入れてみろよ』

すっかり一真に乗せられて、治美の指は硬い蕾の上を滑り、熱く濡れた中にクチュンと入り込む。一真にされている時みたいに指で抽送を繰り返し、お腹側を擦ると体がビクッと震え甘い痺れが体に広がる。

浅い呼吸を繰り返しながら、治美は自らの行為に夢中になっていく。

『治美、イッてみて……』

「ん……っ」

一真の低い声を聞いただけで感じてしまう。甘い命令にそそのかされて、治美の指の間から甘く粘い蜜が溢れだす。

『治美……っ』

「……は、い。……ふぅ……ん……ッ！」

一真の息遣いが早くなって微かな喘ぎを耳が拾う。治美はそれに乗せられるように指を動かす。恥ずかしさなんてどこかに捨ててしまって、快楽を自らで貪り続けた。

『なあ、音を聞かせてくれよ』

「……音？　やだ恥ずかしいよ」

『いいから、聞かせてくれ。頼むから』

「う……うん」

そろそろ止めた方がいいのに……一真にそそのかされ、朦朧《もうろう》とした頭でスマートフォンを腿の上に置く。

秘所は濃いピンク色に膨れ上がり、粘り気のある液が足の付け根をグチュグチュに濡らして光っている。

『聞こえる……治美のいやらしい音が……』

「一真ぁ、今ここに来てほしい」

『ああ、俺も行きたいよ。仕事が終わったら、一晩中治美としたい』

「私も……っ、したい……っ」

こんな時に素直になりすぎるのもどうかと思うが、治美は無我夢中で指を動かしていた。一真の言いなりだ。やがて一真が無言になり、荒い息使いだけが部屋に響く。治美も自らの指がもたらす悦楽に夢中になっていた。

『あぁ……治美……っ……イク……っ！』

突然、一真の切羽詰まった声が聞こえる。治美もそれに同調するように、声を殺して……果てた。

通話を終えた後、治美は薄暗い寝室のベッドに横たわったまま、悦楽の余韻と後悔の中で目を閉じた……。

翌日。

治美が病棟に行くと、相原が呑気に声をかけてくる。

「先生、道後温泉どうでした？　旅館は豪華でした？」

「うん。旅館は豪華なのにレトロな雰囲気もあって素敵だったし、食事も最高だったよ」

「そうなんですね。ご両親も喜ばれたでしょう？」

「すごく喜んでくれたよ。いいプレゼントになった」

なんとなく治美のノリが薄いのを敏感に感じ取った相原はスッと話題を変える。

「先生、この度私達の披露宴の日取りが決まりました。是非出席をお願いします」

そう言って寿のマークが入った封筒を差し出す。

「あっ、決まったの？　おめでとう！　もちろん行かせていただくよ！」

相原は麻酔科の奥田医師と結婚をする。相原とは仲がいいし、奥田医師には手術の際にいつもお世話になっているのでご祝儀は奮発するつもりだ。

聞くと、市内で一番人気の新しい高級ホテルで行われるらしい。治美はこの際だからドレスを新調しようと意気込んだ。

4　不穏な影

一真がようやくプライベートな時間を取れるようになった夜、二人は食事をするために待ち合わせをした。場所は以前治美が相原達と食事をした居酒屋で、治美が店の前で五分ほど待っていると黒塗りの高級車が音もなくやってきて目の前で停まる。

政府の要人でも乗っていそうな車にドン引きしていると、助手席から一真が出てきた。

一真の立場からすると少し大袈裟《おおげさ》な感じがして、一瞬仕込みかと笑みがこぼれた。

「かず……」

名を呼ぼうとすると、後部座席の窓が開き、中の人物が顔を現した。眼光鋭い年配の男性で、怖いくらいに貫禄がある。これはもしかしなくても一真の祖父に違いないと思い、側に立つ一真を見上げると不機嫌そうに中の人物に声をかける。

「お祖父様、無言で睨むと治美が怖がるだろう？　治美、祖父だ。俺の彼女を見たいっていうから仕方なく連れてきた。もういいだろう。崎山、車を出してくれ」

車が動き出す際に、一真の祖父と目が合ったので治美は会釈をして見送った。かなり驚いたものの、一真の家族に会えて良かった。

居酒屋に入って注文をした後、一真は祖父の話を始めた。

「お祖父様はうるさい人なんだよ。弟が結婚する時も相手の家柄が気に入らないだのネチネチ言ってウザがられていた」

「弟さんは思う人と結婚できたの？」

「うん。見合いがどうとか勧められる前に婚姻届を出したからお祖父様は手も足も出なかったよ。その代わり関連会社に出向させられたけどな」

「げっ……」

「なぁ、俺たちも、さっさと届けを出すか？」

「それはダメ」

治美の言葉に一真が顔を天に向けて『はぁー』とため息をつく。

「もし結婚するとしても、両家に祝福されなくちゃダメだよ。ご家族に受け入れられない結婚なんて私の両親が悲しむ。それに一真が出向させられたらどうするの？」

「弟は事務方の中堅社員だったから簡単に出向させられたけど、俺を出向させたら会社が傾くだろう。デメリットが大きすぎるからそれはない。で、治美は俺との結婚に前向きだと受け取っていいのか？」

「うっ……」

一真の確固たる自信が怖い。最近では治美自身も一真に慣れきって結婚話をすんなり受け入れはじめていたものの、一真の祖父の硬い表情からは道のりが遠いことが見て取れて、ため息しか出てこない。

「とにかく、祖父と会って話をしてみないか？　治美のご両親にも正式に挨拶に伺いたいし。な、頼むよ」

「う、うん……」

押し切られてしまった。いつだって一真の言う通りになってしまう……。結局、二月に休みをもらって互いの家に挨拶に行くことになったのだが、一真が自分のスケジュールを秘書の崎山に連絡するついでに治美の大まかなスケジュールも聞き取って、両方のスケジュール管理を指示しようとした時にはさすがに全力で止めた。

医師の予定など、あってないようなものだ。結婚式か葬式、または夏休みと冬休み。それ以外に本当の休息などないのだから。


相原の披露宴の当日、治美はヘアサロンでヘアメイクをしてもらい、新調したピンク系！　のエレガントなドレスを着てホテルに向かった。

会場に向かう途中で、吹き抜けの解放的な場所を通りかかった。そこかしこに置かれたオブジェが綺麗だったので眺めながら歩き、巨大なシャンデリアが天井から垂れ下がっている様を見上げていた時だった。

下階のロビーをひときわ長身の男性が横切った。ダークグレーのスーツのシルエットが完璧で、着飾った人の多いロビーでも目立っているが、その迷いのない歩き方が遠目でも一真にそっくりでつい目で追ってしまう。その男性はエレベーターに吸い込まれて行った。あの男性が一真なら、今日ホテルに行く話は聞いていなかったので不思議に思った。しかし、そんなことを考えている暇はない。治美は急ぎ足で受付に向かう。

受付で記帳をしてご祝儀を渡す。会場に入り自分の席を探すと、すでに来ていた美月が手を振っている。

「わあ！　先生、素敵！　ドレスすごくお似合いです」

珍しく美月がはしゃいで治美の装いを褒める。妻の隣で合田も不本意ながらという顔で頷く。

「確かに。孫にも衣裳だな」

「……どうした合田君、頭でも打った？　私を褒めるなんて、怖い」

「お前なぁ……」

そこに遅れて薬師神がやってきた。薬師神は治美を見るなりなぜか体を仰け反らせて驚愕している。

「薬師神君、何そのリアクションは」

「いやそのあの……白石先生、女っぽく見えます」

「……私は生まれた時から女だけど。君、何気に失礼だね」

「いやあのその……すみません」

「いいよもう、座ったら？」

こうして披露宴が始まった。相原はキュートかつ綺麗だった。治美と美月は相原の晴れ姿に涙したのだが、薬師神はほろ酔いで、出席している上司のカツラ疑惑について延々と話し続けているが、隣の合田の目は笑っていない。

妻の美月が側にいるので合田は愛想のいい先輩を演じているが、治美は明日からの薬師神の運命を心配していた。

お色直しの間にトイレに行くと、空きがなかったので少し離れた場所に向かう。用を足して会場に向かう途中、空中庭園を見つけて思わず治美の足が止まった。

「わあ……綺麗」

ホテルの屋上にこんな場所があるなんて知らなかった。このフロアには高級料亭もあり、この庭園はその料亭のもののようだ。松に梅、池には美しい錦鯉《にしきごい》が泳いでいる。

突如現れた純和風の風景に治美はしばし見とれていた。美しい振り袖姿でそぞろ歩く女性の姿もあって、その優雅さにため息が漏れる。

「なんだろう……過去の『美しい日本』の見本みたいだわ」

振り袖姿の女性は見合いだろうか？　長身の男性にエスコートされてまるでお姫様みたいだ。慌ただしい毎日を送っている治美にとっては別世界の住人に見える。

高級料亭でお見合いをする階層の人々を目の当たりにして、自らの世知辛い毎日を顧みる。

実は、さっきからその男性の後ろ姿が一真に似ている気がして胸がザワザワと騒いでいた。女性が何か落としたようで、男性が屈んでそれを拾った。顔を上げた瞬間、治美は思わず声を上げた。

「あっ！」

一真だった。

間違えるはずがない。あの均整のとれた長身に広い肩、そして男性のくせに美しい顔の切長の目……。

一真がにこやかな表情で女性に小さなバッグを渡し、はにかんだ様子で女性が受け取る。

治美は呆然とそれを見ていた。

治美は魂の抜けたような表情で席に戻りボーッと前方を見ていた。

(あれ一真だよね？　どう見ても、良家の子女のお見合いです……ってストーリーしか思い浮かばないいんだけど、どうしよう……私にプロポーズしているのに、別の女性とお見合いをするってどういうこと？)

一真が裏切るなんて、想像もしていなかった。あれだけグイグイ押してくるものだから、治美は愛されているのだと信じきっていた。

(だって、二月には両親に挨拶に行くって……。あれは嘘だったの？　……私って、どうしてこんなにも男運が悪いの？)

治美は周りに合わせて笑顔で拍手を送りながら、真っ黒い穴に飲み込まれていくような絶望感を味わっていた。

「……先生、先生、大丈夫ですか？」

気がつくと美月がそばに立ち心配そうに背中に手を置いていた。簡単に悟られるくらいに意気消沈してはダメだ。なんたって今日は相原もとい、奥田の結婚披露宴なのだから。

「あ、ごめん、酔ったかな。大丈夫だよ、合田君がこっちを睨んでいるから席に戻りなよ。それにしても、私にまで嫉妬しなくても……厄介な旦那だね」

「ふふっ……そうですね。じゃあ席に戻ります。先生お水もらいますか？」

「ううんいいよ、大丈夫」

帰りぎわ花嫁からもらったブーケを引き出物のバッグに入れてタクシーでマンションに戻った。水を張った洗面台にブーケを置き、服を脱ぎメイクを落としてカーテンを締め切りベッドにダイブする。

もう何も見たくないし、聞きたくもない。このまま夜の闇に溶け込みたい。治美はものの数秒で深い眠りについていった。

翌日は祭日なのだが、当番なので要請があれば病院に飛んでいかないといけない。ノロノロとベッドを出て身支度をする。洗面台の水がすっかりなくなってブーケが萎れかけている。

今この状況でブーケとは皮肉だが、相原からもらった物だから枯らすわけにはいかない。

花瓶を探して水を入れそのまま突っ込んだ。

（これでしばらくは大丈夫かな？）

自分にも栄養を与えようと、冷蔵庫に一つだけあったゼリーの栄養機能食品を喉に流し込む。これを美味しいと思うのだから今日も自分は大丈夫だと思いたい。

冠婚用のキラキラしたクラッチバッグの中身を通勤用のバッグに入れ替える際に、スマートフォンをチラッと見ると一真からの着信が何件か入っていた。ほぼ毎晩電話で話をしていたのだから当然か。

あのホテルの披露宴に出席するとは話していたけれど、一真がいた場所とは階が違うから、まさか見合いの現場を見られているとは思いもよらないだろう。

治美は身支度をして、ついでに数日分の着替えと化粧品等を大きめのトートに入れてマンションを出た。どこかに隠れようなんて、そんなつもりはなかった。何かあればどこかのホテルに連泊してもいいな……そんな風に思っただけだ。

もし一真とトラブルになれば仕事に差し支える。それだけは避けたい。だから一真がやってくるかもしれないこのマンションには戻りたくなかったのだ。

一真にホテルで見たことを伝え、別れを切り出す気力は今の治美にはなかった。まだ呼ばれてもいないのに、病院に行くことにした。

タクシーで病院に着き医局でメールの確認を終えると、病棟に行って患者を診て回っていた。昼前に腸閉塞の患者が救急に運ばれて呼び出しがかかり、バタバタして昼食を食べ損ねてしまった。いつものように冷えた弁当をひたすら口に入れて咀嚼《そしゃく》する。ストレスなのか、味を感じられない自分がちょっと怖くなって、院内のコーヒーショップに行き温かいラテにシロップとホイップクリームを入れてもらった。ＰＨＳを持っているのでここでゆっくりしてやろうとソファー席を陣取る。ポケットに入れたスマートフォンをチラッと見ると、一真からの着信がさらに何件も入っていた。

いつもなら折り返しの電話をするのだが今日は無理だ。昨日見た光景を考察したいが、なかなか冷静になれない。

でもラテは甘くて疲れた心と体に染み入る。

（……うん、私は大丈夫だわ。なんだか、しばらくは男なしでいいかな）

放心状態で座っていると、背後から声が掛けられた。

「白石？」

誰だよ？　聞き覚えのない声に目をすがめて振り返ると、人の良さそうな笑顔の渡辺がドリンクを手に立っていた。

「あれ、渡辺君どうしたの？　大学病院からこっちに呼ばれた？」

「いや、今日は見舞いで来ているんだ。白石は当番？」

「うん。午前中イレウス管入れて入院させたよ。偉いだろう？」

「偉い偉い。それで疲れているのか？」

「別に疲れてなんか……」

すっかり黄昏《たそがれ》ているのを見抜かれてしまった。渡辺に向かいの椅子を勧め世間話を始める。

「この前は、合田君経由で飲みの誘いがあったのに断っちゃってごめんね」

「いや。白石が忙しいって聞いたから、逆に誘って悪かったなって反省していたんだよ」

「そんな、反省だなんて……私も色々あって飲み会に参加する余裕さえなかったんだよね。それに、見ての通り貧乏暇なしっていうか、仕事をしていた方が気楽なんだ」

結局、治美は渡辺に対しても取り繕うことができない。正直にありのままを伝えてわかってもらおうとするのだ。

「白石、何かあったのか?」

心配そうに尋ねてくれる渡辺に、治美は笑顔を作って首を振る。

「大したことじゃないんだよ。彼氏のことでちょっと……ちゃんと話をしなくちゃいけないのに、私が勝手に悩んでいるだけなんだよね」

付き合っている男性がいることは伝えたかったし、一真との関係が壊れたとしても渡辺とは変わらずに友人関係を続けていきたいと思っていた。その気持ちが伝わりますようにと願いながら話を続ける。

「そうだったのか。白石、俺でよかったら話を聞くよ。あ、下心なしで」

渡辺が笑いに変えてくれたので、治美の顔に本物の笑顔が戻る。

「ははっ!　ありがとう。そう言ってくれると嬉しいよ。じゃあ、私行くね」

「あ、ああ。また！」

治美は飲み掛けのコーヒーを手にコーヒーショップを出ていく。渡辺がわかってくれてよかった。それにしても、求めていない時期にモテ期とは……治美は天を仰いで顔を顰《しか》めた。

（神様のいじわる……）

今夜必ず一真はマンションに来る。治美はそう確信していた。合鍵は渡していないから、マンション前に車を停めて治美が戻ってくるのを待つだろう。

一真と向き合う勇気がなくて、治美は病院近くのホテルに宿泊してしまった。いくじなしと言われてもいい、本当にそのとおりだから。

（だって、あの女性は誰よ？　なんで見合いをしたの？　って、冷静に聞ける？　無理だ。私はきっと泣いて何も言えなくなる）

案の定、一真から電話が入り無視をしていたらメッセージが届く。

『マンションの前で待っている。忙しいのか？』

いつもと変わらない文面に、他の女性と見合いをしても何ら罪悪感を持っていないことが読み取れて胸がキリリと痛む。

『急に仕事が入って明日から連チャンで当直なんだ。しばらく忙しいから電話もメッセージもできない』

一気に入力して送ると、急に脱力する。その後一真からのメッセージはピタッと止んだ。スマートフォンの画面を見ていると視界が歪んでくる。治美は自分でも気がつかないうちに涙を流していたのだった。

朝、目覚めて最初に思うことは一真のことで、やはりホテルで見た女性についてちゃんと聞かなければいけないと思い直す。週末なら少しは落ち着いて話せるだろうか？

（週末に会いたいって、一真に伝えておこう……）

治美は身支度をして病院に向かった。医局でメッセージを送ろうとしていると、薬師神が笑顔で近づいてくる。

「白石先生、下のコーヒーショップのオープンが八時からになったのを知っていました？コーヒーを買ってきたんですけど飲みます？」

ショップの袋を両手に抱えている。治美はぼんやりした顔で薬師神を見上げたが、すぐに状況を察して笑顔を作った。

「薬師神君、たまには気がきくじゃないの」

「えっ、僕はいつも白石先生には尽くしていますよ。はい、カフェラテのホットです。先生、元気を出してください」

そう言ってコーヒーを差し出す。

「私、そんなに元気のない顔をしていた？」

薬師神がハッとして口元を抑える。

「あっ、いえ、そのっ、ごめんなさい。余計なことを言って……」

「ううん、全然！　薬師神君、見てないようで人の顔色をちゃんと見てくれていたんだね、ありがとう。」

「いいえ。じゃあ僕病棟に行ってきます」

後輩の思いやりに感謝しつつ、カフェラテを一口飲んでホッと息を吐く。今日はいい日になるといいのだけれど……結局一真にメッセージは送れずじまいだったが、午後から送ることにして治美は外来に向かった。

カフェラテを手に外来の診察室に入ると、看護師が目をキラキラさせて駆け寄ってくる。

「先生おはようございます！　中待合にめちゃ眼福な男性患者さんがいるんですけど、見ました？」

「……見てない」

イケメンに食傷気味なので、興奮した看護師を塩対応でやり過ごす。

「先生ったらテンション低いですよー。男性に興味ないんですか？」

「ないない。それよりも開店時間が早まったコーヒーショップの方に興味があるわ」

「それ！　嬉しいですよね。要望が多かったんでしょうか？　ありがたいですよねー。早速買ったんですか？」

「あ、これは薬師神先生からの……なんだろ？　貢物《みつぎもの》？」

「あはっ、相変わらず懐かれていますね」

「だね、ありがたいことだよ」

軽口を交わしてカルテを開く。今日の患者数はいつもより少ないかも……と、ざっと受付した患者一覧を見ていた治美の目がある名前に釘付けになった。

（えっ、うそ……！）

三番目の受付患者に河野一真という名を見たからだ。一気に心臓がドックンドックンと大きく鼓動する。同姓同名かもしれないと年齢を見ると三十四歳、一真の年齢だ。住所のページをクリックすると、まだ訪れたことはないものの、知らされている一真の住所と同じだった。

相変わらず一真の行動は治美の予想の上を行く。

（ちょっと待って！　無理！）

治美はいきなり立ち上がって逃げようとしたのだが、また戻って椅子に腰をかける。その妙な動きを看護師が怪訝《けげん》そうに見つめている。

白石治美が壊れた！　と、後で噂されそうだが、今本当に驚きすぎて自分を制御できない。

（いや、落ち着け私。どんな修羅場だって、どんな重病患者だってここで対応してきたじゃない。一真の一人や二人、怖くないよ。だって私は医者で、ここは私のシマだよ）

そう自らを鼓舞したが……だめだ、手が震える。

すると、看護師がおずおずと声をかけてきた。

「せ、先生、そろそろ患者さんを呼び込まないと……」

「うん、そ、そうだね。じゃあ始めようか」

こうして怒濤の一日が幕を開けた。

二名の診察を終えて、とうとう一真の番になった。看護師がソワソワと落ち着かない様子で治美に声をかける。

「次の患者さん、めちゃくちゃイケメンなんですよー。呼んでもいいですか？」

「はい」

もうどうにでもなれ。治美は目を閉じて大きな息を吸って……吐いた。

一真が診察室に入ってきて軽く会釈をする。治美は必死に笑顔を作って、椅子を勧めた。

「河野一真さん。どうぞこちらに掛けて下さい」

頷いて腰をかける一真の側に看護師が立ち甘い声をかける。

「河野さん、コートをお預かりしましょうか？」

ハンガーを手に受け取る気満々だ。あのコートの手触りはうっとりするほど素敵なのを治美は知っている。看護師の手にコートが渡るのが嫌で、治美はサッと目を背けた。

これは独占欲なのだろうか？　治美は平静を装いつつ一真に視線を向け、診察が始まった。

「胃が痛いんです」

一真の第一声はこれだった。一瞬、胃腸内科に回そうかと思ったが、それではわざわざ治美に受付した一真に悪いし、まるで人でなしみたいだと思いこのまま診察を続けることにする。目の前にいるのは自分が思いっきり避けている恋人ではなくて、病める患者だ。治美はそう自分に言い聞かせて丁寧に問診を始めた。

「いつ頃からですか？　痛みはどんな感じのものですか？」

「昨夜から、キリキリと痛みます」

「ここ数日間に何か変わったものを食べられましたか？　刺身など生ものや焼き肉など」

一昨日は高級料亭に行ったのだから、さぞいいものを食べているに違いない。

「和食を少し。昨夜は……何も食べていません。酒だけ飲んで寝ました」

耳に痛い。自分が『しばらく会えない』とメッセージを送ったから酒を飲んだのだろうか？　一真の表情は淡々として、ぱっと見ても何か強い思いを抱いているようには感じられない。

問診で内視鏡検査を希望するというので予約を取る。ちょうど今日空きができて昼前に検査ができると伝えると、予定時間にまた来ると言う。

「では十一時に一階の内視鏡検査室の前でお待ちください」

看護師がそう伝えて外に促そうとするのを治美は息を止めて待った。……そのまま出て行くかと思われたが、一真は立ち止まりゆっくりと後ろを振り返って口を開いた。

「白石先生、個人的な話があるので診察が終わったら時間をください。終わるまで待って

います」

（うっ……）

そう来たか。治美は言葉に詰まって一真を見上げた。事情のわからない看護師が困惑して治美と一真を交互に見やる。

「えっと……一時ごろなら時間が取れるかもしれません。一階のコーヒーショップでお話ししますか？」

「はい。ではよろしく」

ニコリともせずに一真は診察室を出て行った。

こちらを振り返り、物言いたげな看護師に治美はキッパリと言い放つ。

「悪いけど何も説明しないよ。はい、次の患者さんを呼び込んで！」


午前の外来が終わり、一真のカルテを開くと内視鏡の検査は無事終わったみたいだった。内視鏡を行った医師の所見では急性胃炎と書かれてある。

本当に胃が悪かったのかと少しだけ驚いた。ストレスがダイレクトに体に出るタイプなのかと意外に思う。

猫を亡くした直後には悲しみにくれて泥酔して動けなくなっていたのを思い出し、一真の性格の危うさが心配になった。

仕事では海外を飛び回り確固たる判断力もありそうだから、傍で見る限り鋼鉄の神経を持ち合わせているのかと勝手に想像していたのだが、わりと脆《もろ》いところがあるのかもしれない。

治美は食欲がなく、昼食を半分以上残してコーヒーショップに向かった。

急に連絡を絶ちたいと言い出した自分に言いたいことがあって病院にやってきたのだろうから、一真はきっと怒っているのだと思っていた。

治美は一真が怒った場面を見たことがない。多分このタイプは滅多に怒らない代わりに怒れば誰にも止めることはできないのではないかと予想している。今から回れ右をしてマンションに立て籠もりたい。そうしたいのは山々だが、残念なことに一真が待っている。

「はぁ……」

治美は大きな息を吐いて店に足を踏み入れた。

存在感のある男なので、どこにいるかはすぐにわかった。治美はドリンクを買って窓際のソファー席に座る一真の元に向かう。

顔を上げた一真にぎこちなく微笑みかけると、いつもの調子で頷かれて拍子抜けする。

それならば……と、こちらもいつもの調子で声をかけた。

「お疲れさま。内視鏡苦しくなかった？」

「涙が出た。あんなに大変なものだとは思わなかった」

「急性胃炎だって、薬出そうか？」

「治美が出してくれるのなら飲む」

「……何それ？」

結構悩んで辛かったというのに、何のわだかまりもないような会話が続く。あの見合いの真相を聞かないといけない。治美が口を開こうとしたその時……。

「か……」

「治美に会いたい時に会えないのは辛い。胃の調子が悪いのも嘘ではないが、連絡しても仕事を理由に拒否されたら病院に押しかけるしかない」

「……」

「ずっと当直なのか？　時間が取れるなら今夜会ってくれ、食事に行こう」

一真の強引さは理解していたけれど、その必死さにこちらの方が悪いことをしているみたいな気になってきた。戸惑う治美に一真は畳みかける。

「どうして返事をしてくれない？　もしかして別れたいのか？　他に男ができたのか？　相手は前に言っていた元同期か？」

「一真待って、ちが……」

「俺は別れないって、今ここで喚いて泣き叫んだらどうする？」

脅しとも取れる言葉を淡々と告げてくる。この男ならやりかねないことを治美はわかっている。

「誤解しないで！　前も言ったように、渡辺君はただの同期だよ。それに、私に彼氏がいることは話したし、本当に関係ないから」

「……」

渡辺のことは完全な誤解だと説明をしたのだが、一真は暗い表情で治美を見つめている。この様子では見合いのことなど聞けそうにない。当直云々は一真を避けるための嘘なので治美は今夜の食事に渋々同意した。

「わかった。食事……行くよ。どこ？」


指定された場所に行くと、そこは静かな料亭だった。先日一真が見合いをしていた料亭ではないが、似た感じの高級店だ。

治美が案内されて部屋に入ると、一真は先に来てゆったりとくつろいでいた。治美は自分が処方して支払いを終わらせた胃薬を一真に手渡す。

「はい。食後に飲んでね」

「ありがとう」

治美が座椅子に座ると、静かに料理が運ばれてくる。食べてしまうのが勿体ないほど美しい懐石料理を前にして、治美のお腹がグーと鳴った。クスッと笑った正面に座る男を治美は軽く睨んだ。

食事をいただき空腹が落ち着いた頃、一真が口を開いた。

「治美、俺は避けられていたのか？　まさか、俺と別れようなんて思っていないよな？」

「うっ……」

いきなり核心を突かれて治美は咽せそうになる。いつもそうだ、一真は鋭くて真摯なのだ。だからあの見合いは不可解で、治美は訳がわからなくなったのだ。

（やっぱり正面からはっきりと聞こう）

「一真、一昨日はお見合いだったの？」

「えっ？」

さっきのお返しだ。治美は率直に尋ねた。一真はナプキンで口元を押さえて思案している。すると、テーブルから後退して、膝に手を置くといきなり頭を下げた。

「ごめん。見合いだけはしてくれと祖父母にしつこく請われて、仕方なく行った」

一真の話では、会長である祖父から大きな取引先の社長令嬢との結婚を強く勧められ、断ることを前提に見合いだけをしたと言う。

「やっぱり……」

「今朝、祖父には断るつもりだと話して、付き合っている女性と結婚したいと言うと顔を茹《ゆ》で蛸《だこ》みたいにして激怒された」

「え、お祖父様は大丈夫だったの？」

「大丈夫だ。それにしても早耳だな、どうして知ったんだ？」

「友人の結婚式であのホテルに行くのは話していたでしょう？　たまたま別の階のトイレを使った時に日本庭園を見つけたのよ。綺麗だったから長い時間眺めていたら、一真が振り袖姿の女性と一緒に歩いていたってわけ」

一真は座椅子の背に体を預けて大きな息を吐く。

「そうか……悪いことはできないな」

「私に対して悪いことをしたって気持ちはあるんだね？」

治美は呆れ顔で一真を見つめる。

「ある。ごめん、傷つけたんだよな……本当に悪かった」

「別に。やっぱり一真の結婚相手はああいう人がいいんだって思っただけだから」

「いや、俺が結婚したいのは治美だ。治美以外考えられない」

「今更……？　じゃあ何故見合いをしたの？　他の人と結婚を考えているからでしょう？」

「違う！　祖父母に泣きつかれて仕方なく形だけの見合いをしたんだよ。俺は治美と結婚したいと言ったんだが、医者と結婚したら仕事に差し障ると祖父に偏見があって……」

「家族に反対されているのに私と結婚をするって言うの？」

いきなりプロポーズしてきたのは一真で、治美はものすごく乗り気というほどでもないのに……話をすればするほど、治美が一真との結婚を望んでいるような会話になってしまう。

「言う通りにしないのなら他の者に家業を継がせると脅されたので、どうぞと言ってある。この年で無職になりそうなので、投資のために買った東京のタワマンを売り払おうかと思っているんだが……」

「えっ？」

　話は意外な方向に向かう。巨大企業の潮造船を捨てて恋人を選ぶと言うのか？　以前、一真は、自分が去ったら会社が傾くと言っていなかったか？　治美は一真の無鉄砲さに体が震えてきた。

「か、一真……？」

「治美、俺は無職になるかも知れないが、当分何もしなくても暮らせるだけの蓄えはあるし、仲間と起業する話もある。こんな俺でよかったら結婚をしてくれ。前も言ったが子供も欲しい。君が出産したら主夫になって家庭を守ることも厭《いと》わない」

「ちょ、ちょっと待って！」

　先走りがすぎる一真の口を止めて治美はもう一度真意を確かめる。

「結婚したいのは私が医者だから？」

「職業は関係ない。治美がいい、俺は治美以外はいらない」

「どうして私をそこまで？　あれだけの会社を捨てて……」

「君は自分にそれだけの価値がないと思っているのか？」

「だって、天下の潮造船だよ？　世界の物流を支える、すごい会社じゃないの！　一真はいずれそこの社長となって数万人の社員を養っていくんだよ。河野家に生まれたら、それが宿命ってものじゃないの？」

　治美は必死に言い募る。治美自身は潮造船の次期トップの妻の座が惜しいわけではないが、一真は後継者として育てられた大切な人間だ。それを捨ててもいいなどと、本当は言ってはいけないのだ。

するど、治美の心に潜む劣等感や自己犠牲がすぎる性格を軽く笑って一真は言う。

「男が欲しい女を選んだだけだ。他に理由などいるか？」

「それにしても……失うものが大きいでしょう？」

もうすっかり料理は冷めてしまった。時間が気になるところだが話は終わらない。おまけに、痺れるようなセリフを一真の口から聞かされた直後なのに、感動よりも会社を捨てるなんてバカなことを思い留まるように必死に説得をしていた。

すると、一真が治美のそばににじり寄ってきた。

「治美……初めて出会った時のことを覚えているか？　サーヤを亡くして酔いつぶれた俺を君は家に入れて温めてくれた。正体をなくした酔っ払いを凍死させたくなかったんだろうが、それだったら救急車でも警察でも呼べばよかったんだ。なのにそうしなかった、何故だ？」

一真の真剣な眼差しを受けて、治美は一瞬言葉に詰まる。あの夜の出会いは治美にとっても特別な瞬間だった。今でも、あの時の気持ちがまざまざと蘇ってくる。

患者を亡くした治美の悲しみと、一真の寄る辺のない悲しみがシンクロしたあの夜。

「だって……一真が泣いていたから……」

治美も大切な患者を亡くした直後で、疲れて泣きそうで、心が悲鳴をあげていたのだ。

だから一真を放っておけなかった。

「あの夜、俺たちは互いを体で慰め合っただけだった。後は他人……治美はそのつもりだったんだろう？　でも俺は違った。一生で一度の出会いだった。君は寛大で賢くて心底優しい女だ。俺は治美と一生を共に生きたい」

「わ、私はそれほどいい女じゃないわ」

「治美は最高にいい女だよ」

「そんな……」

「治美のご両親にお会いしたとき、互いを大切に思いあっていることが感じられた。ご両親を見て、治美がどうしてそんなに寛大な性格なのかが分かった気がしたよ」

「持ち上げすぎよ。私も両親もそんなに素晴らしい人間じゃない」

「俺は治美の家族になりたいと願うようになっていたんだ。家族が欲しいだけなんだろう？　などと言わないでくれ。俺は治美じゃないとだめなんだ」

一度決めたらテコでも動かない男どもを、治美はこれまで嫌と言うほど見てきた。そして、その中でもこの男は最強なのだということはわかっている。

治美が雪の夜に拾った酔っ払いは、キングオブ強情だったのだ。数秒間……治美は俯いて目を閉じた。

（どうする？　私はどうしたいの？）

長い沈黙の後、治美は口を開いた。

「わかった。結婚して、私が一真を養う」

決意表明を行った治美に一真は笑って言う。

「……ありがとう。でも、すぐに仕事は始めるよ。まぁ、会社を正式に辞めるのは半年か一年先になるだろうけどな」

「……あ、そ、そうなの？」

「辞めない努力はするが、本当に辞めると決まれば俺はすぐに動く。まずは祖父だな。そして、取締役会や顧問弁護士やその他色々……容易ではないだろうが、自分の意志は通す」

そうして、一真は治美に言い切った。

「治美、俺との結婚は運命だ。諦めてくれ」

＊　＊　＊

一真は治美から『結婚する』との言質を取ると、週末に祖父の家に挨拶に行くことを約束してもらった。

翌日、取引先とのウエブ会議や、昨日留守をしていた間の報告を秘書から受け、何件か電話をした後は海外の取引先から届いたメールの返信などに時間を費やした。

そして、見合いの仲人をした先に断りの連絡を入れた後、祖父の秘書に電話をして今夜家に行くことを伝えるように頼んだ。治美と一緒に挨拶に行く前に祖父と話をしたいと思ったのだ。

夕方、祖父の家に向かうと祖母が食事を用意して待っていた。以前は数人いた使用人達も年をとり、今では家政婦とその夫が住み込みでいてくれるだけだ。

その家政婦の料理で一真は育ったわけで、一真はいつも彼女に感謝をしていた。本当なら、結婚を報告して喜んでもらいたかったのだが……。

「一真さんが帰られると聞いたので、好物の唐揚げを作ってお待ちしていました」

「ありがとう。楽しみだな」

一真の立場は代表取締役副社長だが、ふんぞり返っていればいいというものではなく、海外の取引先との交渉などはほぼ一真のチームの仕事となっていた。狡猾《こうかつ》で油断のならない海外の船主との交渉は、のほほんとした人間には向かない。今後の世界情勢などを視野に入れて納期や金額を決めないことには、会社に多額の負債を負わせる可能性だってある。非常に過酷な仕事だ。

おまけに、社長である祖父も油断ならない人物で、実家に帰っても顔を合わせると気持ちが寛ぐことがない。その代わりに、祖母や昔からいてくれる家政婦は一真にとって癒しではある。

祖母と家政婦に見守られて食事をするのはくすぐったいが、たまにしか帰らない一真の側にいたい二人のために我慢して食事を頂く。

食事を終えて祖母に尋ねた。

「お祖父様はリビングに？」

「いるわよ。夕食を早めに終えて、一真を待ち構えているわ」

「やれやれ……」

これから、祖父と対決をしなくてはいけない。おまけに会社を辞める話も……。

リビングに入ると、お気に入りのソファーに陣取って祖父がお茶を飲んでいる。一真はいつもの調子で声をかける。

「お疲れさまです」

「一真、昨日は秘書を困らせたみたいだな。何があった？」

「いや、胃痛で病院に行っただけです。お祖父様、紹介したい人がいるので週末にまた伺います」

「紹介？　何のことだ、私は受け入れないぞ」

紅茶を運んできた祖母がハッとして顔を上げる。

「紹介したい人って……一真、もしかしてお付き合いしている方のこと？」

「そうです」

「お前、見合い相手はどうするんだ？」

祖父が中腰になって一真に問いかける。

「あれは元々、お祖父様の顔を立てて会っただけです。返事を長引かせては相手にも悪いので、今日断りました」

「まあ……」

　唖然とした祖母とは対照的に、祖父は眉を顰めて一真を見やる。

「勝手なことをして！　大事な取引先の縁談を断って医者ごときと結婚するつもりか？」

「……医者ごときなんて言わないでください。公立の病院に勤務する優秀な外科医です。土曜に連れてきますのでよろしく。お祖母様も会ってください」

　戸惑う祖母に笑顔を向けると一真はリビングをさっさと出る。

　望み通りに見合いをしたのに、すぐ断ったことを責められても困る。こちらは祖父の顔を立てて会うだけは会ったのだ。そのせいで治美から拒絶される羽目になって、迷惑を被ったのはこちらで祖父には謝ってほしいくらいなのだが……。

　一真が詫《わ》びないといけないのは、配慮が足りずに傷付けてしまった治美と、最初から断るつもりで見合いをしたお相手だ。お相手の令嬢には多分祖父からも詫びが入るだろう。

　これまで後継者と言われ続けて、祖父のため会社のために尽くしてきた。結婚相手まで会社のために選ぶ必要などない。

　治美に出会っていなければ、見合いをした令嬢と愛のない結婚をしていたかもしれないが、一生を共にする相手を見つけてしまった以上、政略結婚などできない。

　玄関に向かっていると祖父が追ってきた。いつも冷静な人が珍しいことだ。

「一真、お相手は乗り気なんだぞ！　氏素性もわからない女を河野家当主の嫁にするわけにはいかないんだ、お前もわかっているだろう？」

「彼女は素晴らしい人だ！　氏素性はわかっています。俺が人生を共に生きる人を見つけたことを喜んではくれないんですか？」

「ダメだ！　見合い相手と結婚しろ」

父が亡くなってからずっと一真を育ててくれた人だが、祖父らしい温かさで包んでくれたことはなく、跡取りとして強くあれと叱咤《しった》されることが多かった。

大企業を背負っていく身として、これまで祖父の意思に強く逆らったことはなかったが、結婚だけは別だ。一真は祖父にイラついた顔を向けると、用意していた言葉を投げつけた。

「そこまで言われるのなら、俺は会社を辞める。俺が辞めた後は、別の人物を社長に育て上げればいい」

「辞める？　どういうことだ？　お前は潮造船の次期社長だぞ。何を血迷って……」

一真は玄関ドアに手をやって、祖父に向かってニヤリ……と笑いかけた。

「だから、社長の座は叔父さんか弟にでも譲ればいい。俺は好きにやっていきますから。お忘れですか？　お祖父様が言ったんですよ、『言う通りにしないのなら他の者に家業を継がせる』と。とにかく、彼女は土曜日に連れてきますのでよろしく。では！」

「一真！」

一真はドアを乱暴に閉めると、祖父の家を後にした。

自宅に戻ってから一真は、海外にいる古くからの友人達に転職を仄《ほの》めかすメールを送ることにした。

海外を含む取引先との仕事は業界で評価を受けており、自らの能力に自信はある。

それに国内では、祖父を説得しながら古臭い社風を変えていき、若い優秀な人材が集まる最優良企業に変えていった業績なども知られていた。

祖父は辞めると言った一真の言葉を本気にしないだろうが、他所から引き合いがあると知ればどうするか……？

ここまで成長した孫と古い取引先との縁、どちらを選んだ方が賢いか？　祖父は必ず自分を選ぶはずだ……。

一真は賭けに出たのだ。

5　結婚

土曜日、プレゼントされたあのピンクのワンピースを着て、治美は一真と共に重厚な門扉の前に立っていた。

前夜に、『祖父に仕事を辞める宣言をした』と聞かされて頭を抱えたが、いざとなれば自分が養う気満々だった。

なんといっても治美は医者だ。医師国家資格はこの国では最強の武器なのだから食いっぱぐれることはないはずだし、忘れていたが一真は弁護士資格も持っている。もしかして最強のカップルかもしれない？

これから自分を拒否している人物の家に乗り込むのだ。ガクブル状態の治美は内心で自らを鼓舞していた。

家に入るのが正直怖い。一真の家族に嫌われるのはやはり悲しいことだ。

門扉が静かに開かれて、敷地に足を踏み入れた。一真が手をギュッと握ってくれたので、少し気持ちが落ち着く。

玄関を開けてくれた女性に案内されてリビングに向かう。リビングには一真の祖父母と中年の男性がいた。耳元で一真が囁く。

『祖父母と専務の叔父だ』

治美は頷いてぎこちない微笑みを浮かべた。

大歓迎……とはいかなかったが、椅子を勧められて一真と共に腰を掛けた。一真から紹介されたので頭を下げて挨拶をする。

「はじめまして、白石治美と申します。市内の県立病院で外科医をしております。どうぞよろしくお願いいたします」

治美はそれぞれに頭を下げる。祖父母から挨拶を返されて、祖父の名が真一郎《しんいちろう》、祖母の名が喜代《きよ》と知って河野家の男子には代々「真」の字がつくしきたりなのかもしれないと想像した。苦々しい表情の真一郎が口を開いた。

「医者なんて……男を内助で支えられない妻を娶《めと》れば社長業に不利になるとわかっていないのか？　一真、お前は馬鹿だ」

祖父の言葉を受けて一真がニヤッと笑う。

「俺は辞めると言ったはずです。お祖父様、今日は家族に婚約者を紹介しに来ただけですよ」

片や治美は真一郎の言葉にカチンときていた。会社を辞める宣言をした一真を養うと決めているくらいだから、内助の功を求められていることも心外だし、男尊女卑も甚だしい。

治美は満面の笑みを浮かべて一真の祖父に切り込んでいた。

「妻がフォローしなければ傾くような会社なら、一真さんが社長に就任するに値しないですね。それに、ご自身の孫を妻の助けがなければダメな男だと思っているのですか？　ありえない。一真さんの能力をみくびっていますし、肩書きや職業で人を差別するお祖父様の考え方はあまりにも……」

「なんだと！　あまりにも……何だ？」

言いかけてやめた治美に顔を真っ赤にして続きを促す。治美は一真に言ってもいいかと小声で尋ねると、一真はニッと笑って首を縦に振った。

「では続きを……お祖父様はご立派な方です。家業をご自身の代でここまで大きくされたことには尊敬の念しかありません。しかし、人を氏素性や職業で差別するのは……あまりにも時代錯誤で心が狭い。おまけに現代にそぐわない考え方です。海外の取引先から軽蔑されるのではないですか？　この令和の時代に、聡明《そうめい》なお祖父様がそこまで『夫をたてる妻』像を求めるならば……失礼ですが、年齢相応以上の脳萎縮を疑ってしまいます。一度脳の検査をされてはいかがかと存じます」

「ププッ」

隣の一真が思わず吹き出した。

治美は一真をチラッと横目で見て眉を顰める。

（こっちは真剣に話したのに笑うなんて……もう一真ったら！）

「お祖父様、俺からも頭の検査をお勧めしますよ。治美、どんな検査をしたらいいんだ？」

「脳ドックと認知症の検査などいかがでしょうか？」

二人の会話を聞いて一真の叔父が口を挟む。

「随分と失礼なことを言うね。白石さん、潮造船がどんな企業か、河野家がどんな家か何も知らないのですか？」

「存じ上げています。日本で一番大きな造船会社で、世界でも二十五位でしたっけ……とにかく巨大な造船会社ですよね？　それから、祖先は瀬戸内を股にかけた海賊……もとい、武士の末裔《まつえい》とウィキペディアには書いてありました」

「プププッ！」

また隣で一真がウケて噴き出している。この男、やる気があるのか？　何のやる気か治美にもわかってはいないのだけれど。

「……くだらん。こんな失礼な女を嫁などと……一真お前は頭がおかしい」

真一郎にかなり失礼なことを言われた気がするが、治美はあくまでも彼を病人扱いしているので逆に可哀想になってきた。

（こんなにも時代遅れな社長があの巨大企業を率いているなんて嘘でしょう？）

もしかして、実質は一真が社長業を代行しているのではないのか？　治美はそう想像していた。

すると、今まで夫の隣に控えて黙っていた祖母の喜代がいきなり声を上げた。

「あっ！　白石さん、市内の県立病院の外科のお医者さんっておっしゃったわね？」

「は、はい。そうです」

「盲腸の手術など、なさるのかしら？」

　この会話はどこに向かうのだろうか？　唐突な質問に治美は戸惑いながら相手をする。

「はい、ときどきは。簡単な手術ですが、いきなり悪化する患者さんが多いので緊急手術が割と多いです。あの……？」

「佐々木信弘《のぶひろ》という男性の手術をなさいました？」

「えっ……？」

　佐々木信弘とは、少し前に緊急手術をした患者だ。やけに慕われてちょっとキモいと思っていたのでよく覚えている。

「個人情報なので、お答えは難しいのですが……あの、その佐々木さんとお知り合いなんですか？」

「外孫なのよ！　県立病院の白石先生に救われたって話を聞いていたものだから、もしかしてって思ったの。親族になるなんて、信弘が聞いたら喜ぶわ」

「えっ、そうなんですか？　それは失礼いたしました。その後お孫さんの体調はいかがでしょうか？」

「元気よ！　系列会社の営業だから、もう日本中を飛び回っているわ。素敵な女医さんに助けてもらったって、あんな仕事をされるなんてすごいって聞いていたものだから、私も一度病院に行ってみようかしらって話していたのよ」

「それは……どうもありがとうございます」

　隣で一真が肘で突いてくる。

「信弘の主治医なのか？　すごい偶然だな」

「そうね、私もびっくりだわ」

　一真の祖父がゴホン……とわざとらしい咳《せき》をする。

「まあ、貴女の仕事は素晴らしいのだろうが、やはり河野家の嫁としては……」

「何を言っているの！　信弘を救って下さった方よ！　そんな方が一真のお嫁さんになってくれたら私も心強いわ。最近血圧も高いし色々心配だから……。それに、治美さんもおっしゃっていたけど、今の時代に内助の功なんて言っているおじいさんの方がちょっと恥ずかしいんじゃないかしら。本当に時代遅れよねっ！」

「……」

　愛妻にここまで言われて、真一郎はとうとう黙ってしまったが、治美は一真の祖母の病気の方が気になってきた。

「血圧が高いのですか？　どこか病院に受診をされていますか？」

「近くのクリニックを受診して何年も薬を飲んでいるんだけど、検査を何もしないから気になっているのよ。普通、何もしないものかしら？」

「いいえ、高血圧にも検査は必要です。私は循環器医ではないので受診されても診ることはできませんが、ご相談があればいつでもお聞きしますし、優秀な医師を紹介します。よろしければお薬手帳を見せていただいてもいいですか？」

「持ってくるわ！」

喜代はいそいそと出て行った。後に残った男たちは一真を除いて苦虫を嚙み潰したような顔をしている。

「お祖父さま、叔父さんも治美に健康相談されてはいかがですか？」

一真がニヤニヤ笑って言うと、叔父の方が笑顔を浮かべて何かを言いかけたが、自身の父親が口をへの字にして睨みつけているものだから、残念そうに口をつぐんだ。


しばらく経って暇乞いをして屋敷を出たのだが、玄関まで見送りにきていた祖母の喜代が二人に申し訳なさそうに言う。

「夫が許さなくても結婚をされるのだろうけど、私は一真の結婚を祝福します。我が夫ながら時代錯誤で強情なのがずっと悩みの種でした。治美さんよく言ってくださいました、ありがとう」

「いいえ、そんな……」

「お祖母様、入籍をしたら連絡します。でも、その頃には俺は副社長ではなくなっているかもしれないけど」

「一真……そんな怖いことを言わないで、会社が潰れてしまうわ。お前の代わりはどこにもいないのに」

「さあ、どうでしょう？　俺はお祖父様の判断に任せますよ。とにかく、治美と結婚したら退職と求職に向けてじっくりと動きます。そのことをお祖父様に伝えておいてください」

屋敷を出た二人は車で一真の家に向かう。途中デパ地下で色々買い込んで行こうと一真が言うので治美もそれに従うことにした。今日は救急の当番ではないので急に呼ばれる可能性はゼロだ。

ワインは家にあるというので、新鮮な刺身やローストビーフ、色とりどりのサラダにスイーツなど、食欲の赴くままに買い漁った。

休み明けには浮腫《むく》んで太るのは確実だが、そんなのどうでもいい。今日は宿敵と戦って勝った気分なのだ。

買い物を終え一真の家に向かう途中、治美は気になって仕方がないことを尋ねていた。

「一真、本当に会社を辞めるの？」

「治美との結婚を許さないと言い続けるなら辞めるしかないな。ウチは巨大な会社だけどほぼ家族経営だから、祖父に結婚を反対されて会社に留まった親族はいない。俺は弟みたいに系列会社に出向なんて性に合わないから飛び出すしかない」

たしかに一真は、今の職を追われるくらいなら自分から飛び出すだろう。しかし、それでは会社が立ち行かないのではないか？

「一真が辞めても会社は大丈夫なの？」

「今は十年先までの契約をとっているから数年はやっていけるんじゃないかな。海外の取引先と同等にやりあえる人材は少ないから不安は残る。ぶっちゃけ俺ほど営業ができる人物は日本でも数人だろうな」

「言うねえ」

あっぱれな物言いだが、多分事実だろう。だからこそ退職を思い止まらせなくてはいけない。一真がいなくても技術者がいるから船は作れるだろうけど、作るためには巨額の契約が必要なのだから。

あの会社が潰れれば、県内外や海外で働く数万人、あるいは数十万人が職を失う可能性があり、系列会社も数に入れると県内と言わず国中が大変なことになる。

「本気で辞めるの？」

「治美を受け入れてくれないのなら……辞める。でも、勝算はある」

「勝算……？」

「お祖父様が冷静になって俺が退職するデメリットを認めれば、俺は会社に残り数年先には社長に就任する。治美、俺は割と楽観視しているんだよ」

「そうなるといいんだけど」

一真は自分の能力を測り、冷静に天秤《てんびん》にかけている。それならば安心かもしれない。

車は県庁前を走り、賑やかな通りを少し過ぎて大きなマンションに向かう。ホテルみたいな車寄せをぐるりと回り広い駐車場に入っていく。

「へえ、こんなマンションがあったんだ」

「完成してすぐにサーヤと引っ越したんだよ」

「サーヤちゃんと……」

今になって思えば……猫のサーヤがあの雪の日に二人を引き合わせてくれたのだ。今夜ようやく、サーヤの遺影に手を合わせることができる。

豪華なエントランスに入ると、マホガニーのカウンターの向こうに初老のコンシェルジュが控えていた。

「わぁ……まるでホテルみたい」

「そうだな。便利で助かっているよ」

コンシェルジュに会釈をしてエレベーターホールに向かう。

「衣類や家のクリーニングからデリバリー、おまけにペットシッターも手配してくれていたんだ。サーヤが生きていた頃は出張の度に頼んでいた」

「へえ……そうだったの」

高速エレベーターを出ると顔認証で玄関ドアが開いたのでびっくりした。全体的にマホガニーカラーで統一されて広々としている。一体いくつ部屋があるのだろう？

「いい部屋だね。わ、バルコニーも広ーい！」

「夏には花火が見られるぞ。夏祭りが上から眺められるけど、遠すぎて人が米粒みたいだ」

「いいね。夏には呼んでよ」

呑気にそう言うと、一真が呆れ顔で治美の頭を指でツンと突く。

「アホか？　お前はここに住むんだよ」

「え？」

「俺と結婚してくれるんだろう？　治美のマンションよりこっちの方が広いから、俺はここに二人で住むんだと思っていた」

「あ……そ、そうだね」

祖父の反対があるから、結婚はまだ先だと勝手に思っていた。このマンションは病院から少し離れているので通勤時間が少し長くなるが、裏道を走れば二十分ほどで着くだろう。何よりも市内中心部に建っているので、買い物やいろいろな面で便利だ。

（そうか……私、本当に結婚……するんだ）

一真がお茶を用意している間に部屋の中を眺めていると、リビングの片隅の棚に骨壺《こつつぼ》と共に小さな遺影が飾られているのが目に入った。写真のサーヤは美猫の三毛で、女の子なのに凛々《りり》しい表情を浮かべている。

サーヤに手を合わせた後、治美は骨壺を撫で小声で話しかけた。

「サーヤちゃん、一真は私が大切にするから安心してね」

キッチンから一真の声がする。

「治美、ワインは赤と白のどっちがいい？」

治美はもう一度サーヤに目を向けてからキッチンに向かった。

「両方！」

二月に予定していた両親への挨拶を早めて、翌日二人は治美の故郷に向かった。高速を下りた後は国道をひた走り、途中の道の駅で菓子折りと父の好きな酒を買って実家に向かう。

治美の実家は一戸建てだが一真の実家に比べれば小屋みたいな家だ。家のサイズが釣り合わなくても問題ないが、一真の祖父が反対していると知れば父は何と言うだろうか？治美はそこを心配していた。

実家の玄関を開けると、母が笑顔で出迎えてくれる。

両親は料理を用意して待っていた。一真と帰郷する理由は昨夜知らせたから注文してくれたのだろう。お祝いの席には必ず置かれる地元で人気の寿司だ。

「さあさあ、どうぞ食べて」

母が言うと、一真が「その前に……」と座布団を降りて居住まいを正す。

「お父様、お母様、治美さんとの結婚をお許しください」

治美も慌てて一真と一緒に頭を下げる。母は口元に手を当て頬を染めて喜んでいる。父も嬉しそうに頷いているのだが……。

「治美から聞いたのですが、河野さんは潮造船の副社長さんだとか……」

「はい、そうです。昨日祖父母に婚約の報告をしました。私としては治美さんのご両親にお許しを頂いたら婚姻届を提出したいと思っています」

「そうですか。……これは娘を思っての発言なのですが、ご家族はこの結婚を祝福されているのでしょうか？　頭が固いと思われるかもしれませんが、我が家と河野さんのお家では釣り合わないので心配しております」

治美と同じ危惧を父も抱いていたのだ。昨日の一真の祖父の言葉を伝えたら、父はなんと言うだろうか？　怪しくなった雲行きに、治美の心臓はドキドキしてきた。

「正直に申しまして、祖母は大賛成してくれたのですが、祖父が反対しております。しかし、私は誰がなんと言おうと治美さんと結婚します」

そう言った後、一真は慌てて父に頭を下げる。

「お父様の許可をいただく前にいきなり結婚宣言をして申し訳ありません。どうぞ結婚をお許しください」

一真の必死さが伝わってきて、治美は胸が熱くなってきた。父も苦笑している。

「河野さん、顔を上げてください。私は娘が選んだ人なら大丈夫だと思っています。治美は大変な努力をして医者になりました。性格はこの通り、飾り気のない優しい子です。ご家族も長く付き合っていけば、この子の良さをわかっていただけると信じています。河野さん、治美をよろしくお願いします。幸せにしてやって下さい」

「……ありがとうございます。必ず治美さんを幸せに……、一生大切にします」

一真が、実に嬉しそうに破顔したが、治美はその顔を見て胸が詰まった。祖父に結婚を反対されたときは平気な顔をしていたが、その実一真はとても悲しかったはずだ。だから治美の両親に結婚を許されて、自分を受け入れられたと感じたのだろう。

一真の中の小さい子供は、いつまでも愛されることを望んでいる。これからは自分が決して一真を悲しませないように守ってあげよう。治美はそう誓ったのだった。

その日、治美の両親に婚姻届の保証人の欄に署名してもらい、一真と治美も記入を行った。

翌週の大安の日に二人で提出に行くことに決めて、実家を後にしたのだった。


そして……大安の日の今日、仕事が終わる夕方に一真と待ち合わせをして役所に行くことになっていた。緊張して昨夜はあまり眠れなかったので、今朝は院内のコーヒーショップから濃い目のコーヒーを買ってきた。これで目を覚まそうという魂胆だ。

まだ誰にも話していないから、入籍してから友人たちを『あっ』と言わせようと思っていたのだが……。

外来に入ると、いつもの看護師がスタンバイして笑顔で迎えてくれる。

「先生、おはようございます。あ、コーヒー買ってきたんですか?」

「おはよう。今日は濃い目にしてもらった」

「寝不足ですか?」

「そうなのよ、緊張しちゃって」

「へ、今日何かありましたっけ？」

「あ、いや、何もないけどね」

　つくづく嘘がつけない性格が悲しい。これ以上妙なことを口走らないように治美はそそくさと椅子に腰をかけた。電子カルテの受診患者のリストをザッとみたところで、前回の悪夢が蘇る。

　まあ、あれで一真への誤解が解けたので悪夢というのは間違いだが、自分のテリトリーに一真が押しかけてきた時の衝撃はすごかった。乱雑な外科外来に一真がいると、なんとかに鶴……という言葉が浮かんでくる。

　あれ以来、外来付きの看護師は、何かを聞きたそうな目で治美をチラチラ見ることが多くなったが、治美はダンマリを決め込んでいる。しかし、晴れて入籍を果たしたら、「相手はあの時の彼だよ」と彼女に話して喜んでもらいたい。

　外来が早めに終わったので病棟を見回って医局に戻る。弁当を食べていると一真からメッセージが届いた。

『お祖父様が治美に会いに行くかもしれないが俺は大事な会議で抜けられない。たのむ相手をしてくれ』

「えっ……？」

　何それ？　どういうこと？　ちょっと待って、ムリムリムリ！　急に頭痛に襲われて吐き気もしてきた。治美は全身全霊で一真の祖父の来訪を拒否している。

胃がムカムカして吐きそうだけど、とにかくこの昼食を食べておこう。戦には腹ごしらえが大切なのだから。治美は必死に完食して一真に返信をした。

『頑張る！』

何を頑張るのかもわかっていないが、こうなりゃ、やるっきゃない。

治美は鼻息荒く立ち上がったものの、まだ一真の祖父は来ていないし、院内の誰からも知らせはこない。とりあえずまた椅子に腰をかけてお茶を啜《すす》った……。その時、ドアがコンコンと叩かれ、ご機嫌な甘い声が響く。

「白石せんせー」

相原だ。結婚しても院内では相原で通すというのでそのままで呼んでいる。結婚式からの新婚旅行を終えて今日から出勤だったのだ。手には大きな紙袋を下げている。

「相原おかえり。新婚旅行はどうだった？」

「サイコー！　やっぱり北欧は可愛いものがいっぱいでした。これお土産でーす」

「わっ、ありがとう」

袋を覗き込むと、沢山の包みや箱が入っている。

「相原、これ何人分？」

「やだ、これ全部が先生へのお土産です。色々買っちゃったんでお家に飾ってください。ちなみにこれクリスマスオーナメントで、私と美月とお揃いでーす」

「へぇ……ありがとう。楽しみだなぁ」

とうにクリスマスは過ぎ、正月も過去なのだが……。相原の選択眼は独特なのでこれでいいのだろう。治美はありがたく受け取ることにした。すると、やけにソワソワする治美に相原が不思議そうに視線を向ける。

「先生、どうしたんですか？　あっ、もしかしてトイレ？」

「……違うよ。ちょっと、人が来るのを待っているんだ」

待ち人にしては嬉しそうではないので、ますます妙に感じたのか相原が目をすがめてこちらを見る。

「その人って、例の御曹司ですか？　でも、それにしては全然嬉しそうじゃないし……」

全く相原には嘘がつけない。治美は両手を上げて、客人の説明をした。

「彼のお祖父さんだよ。何をしたいのかはわからないけど、来るかもしれないって聞いたから戦々恐々として待っているんだ」

「またー。白石先生ともあろう人が、お祖父さんの一人や二人どうってことないでしょう？」

「いや、頑固な権力者だから面倒くさいんだよ。それに先日会った時に、頭が固すぎるから脳の検査を受けたらどうですかって言っちゃったし」

「ぶはっ。そんなこと言ったんですか？　先生やるなあ」

「それがさ、売り言葉に買い言葉で言ったけど、お祖父さんにしたらマジで笑えないよね。私ったら認知症の検査まで勧めちゃったし」

「長谷川式ですか？　何なら私がそのお祖父さんにしてあげましょうか？」

「いやいい。言いたいのはそこじゃないから」

　姉御肌みたいに思われているけれど、治美が意外に繊細なことをわかっているからこそ相原は笑いに変えているわけで、満面の笑顔で会話を続ける。

「いいじゃないですか。お祖父さんって潮造船の社長でしょう？　偉い人すぎて今までそんな失礼なこと言う人って先生以外にいなかったんじゃないかな。言われた直後は怒っていても、後で結構笑いに変換していたりして……だって、あれほどの会社の社長なんだから馬鹿じゃないでしょう？」

「それはそうだけど。いい方向に変換してくれているとは思えないなぁ」

「まぁまぁ……先生、きっと大丈夫ですよ。楽天的に行きましょう」

「そう？」

「はい。嫌われてもお祖父さんと暮らすわけじゃないし……って、先生！　今更だけど、お祖父さんに会ったってことは……とうとう結婚することになったんですか？」

「う、うん。両家の顔合わせはしてないけど、互いの家には挨拶に行った」

　急展開に相原が俄然勢いづく。

「ぎゃー！　白石先生がセレブの仲間入り？　ちょっと本当に結婚するんですよね？」

「うんする。でも、お祖父さんに許してもらえないなら一真が会社辞めるって言ってるし」

「え、マジで？」

「いや、マジではないと信じ……たい。一真……彼が辞めたら会社がやばい」

相原がニヤついて治美を肘で突く。

「一真って呼んでいるんですね。ふーん、呼び捨てなんだ。同志みたいでカッコいいですね」

「い、いいじゃん。どんな呼び方をしても」

急に照れて赤くなった治美を相原が更に揶揄おうとしたその時……治美のＰＨＳが突然鳴った。

「うおっ！　びっくりした……はい、白石です」

電話は交換手からだった。

「白石先生、外線です。河野真一郎様の秘書だとおっしゃっていますが……」

「あ、はい。繋いでください」

一真の祖父からの外線に、治美の心臓は一気にドキドキしてきた。

祖父の秘書は、『河野真一郎氏が会って話をしたいので時間をとってほしい』と言う。治美の仕事が終了する午後六時過ぎを指定すると、病院玄関まで車で迎えにくることになった。

車でどこに連れて行かれるのだろう？　少し怖いと思ったが、きっと一真が助けに来てくれるに違いない。治美が承諾して電話は切れた。

「せ、先生、頑張ってくださいねっ！」

「うん、明日何があったか報告するよ」

相原が医局を出てから一真にメッセージを送る。

『秘書さんからの電話では午後六時すぎに車で迎えにくるらしい。ドキドキなんですけど』

会議が終わったのか、一真から電話が入る。

『そうきたか。どこかで話をするつもりなんだろう』

「だね。一真は来てくれないの？」

『六時か……急な打ち合わせが入ったんだが、ちょっとだけ抜けてお祖父様と話をするよ。病院に着いたら連絡する』

「うん。待ってる」

電話を切ると、治美は急いで病棟に向かう。担当患者の投薬などを早めに済ませておく必要があるからだ。調子の悪くなりそうな患者や重篤な患者は、今夜の外科当番の医師に電話でフォローをお願いすることにした。急いで症状についてもメールで知らせることにする。

病棟で必死にキーボードを叩いていると、隣に合田がやってきた。

「白石、今夜は用事があるのか？」

「合田先生、すみません。今夜当番ですよね？　六時から二～三時間ほど電話に出られないかもしれないので、何かあれば患者さんの対応をお任せしたいんですが、お願いできますか？」

敬語でお願いする治美に、合田も真面目顔で頷く。

「了解、任せて。身動きができるようになったら一報が欲しい。で、重篤の患者は？」

「それなんですけど……」

外科の看板医師二人が真面目モードなので、ナースステーションにピンと張り詰めた空気が走る。珍しく外科部長がやってきてお菓子の差し入れがあったが、皆の反応が薄いので悲しそうに医局に戻っていった。

治美は自分が作り出した空気なだけに、外科部長を気の毒に思ったが、今はそれどころではない。明日構ってあげようと心に留めておく。

一真の祖父に会うにしては、気の抜けたファッションなのだが仕方がない。治美は大きめのセーターに細身のパンツというカジュアルな服装で病院の玄関で待っていた。すると、一真が自ら運転して車寄せに姿を現した。

「治美！」

車から飛び出ると駆け寄ってくる。

「お祖父様はまだか？」

「うん。まだだよ」

ゴツい外車から長身のイケメンが出てきたものだから、出入りする来訪者や職員達が治美に興味津々の視線を向けながらゆっくりと移動する。相原が通りかかり、一真を見た後で目を剝いて、治美に親指を立ててから去っていった。空気を察してくれたのだろうが、明日にはきっと根掘り葉掘り聞かれるだろう。

いつぞやの高級車が音もなくやってきて治美の目の前で停車した。

窓が開き、一真の祖父が顔を出す。

「一真、いたのか。白石さんを借りていくぞ」

有無を言わさない口調なのだが、一真は慣れているのか祖父に釘を刺す。

「お祖父様、治美に危害を加えることはないですよね？」

「……お前、私をなんだと思っているんだ？」

若干呆れ顔で真一郎が呟く。前回会った時のような陰険な雰囲気は消えて、今日は落ち着いた威厳さえ感じられる。これが彼のいつもの顔なのだろうと治美は察した。

「一真、私行くね。何かあれば連絡するから、仕事に戻っていいよ」

そう言ってさっさと乗り込む。運転手が一馬に申し訳なさそうに会釈をして車は動き始めた……。

車は道後温泉を通り過ぎると急な坂を上り、途中で狭い路地に入る。この大きい車体がよく入るなぁと運転技術に感心していたが、やがて由緒のありそうな日本家屋の駐車場に停車した。

ドアが外から開かれて、治美は一真の祖父と共に車から出た。

格子戸が開き、和服姿の女性が出てきて「こちらへ……」と案内をする。

「河野様いらっしゃいませ。お待ちしておりました」

ここは何かの店のようだ。料亭なのかもしれない？　一真と付き合うようになってから色々な高級店を訪れる度に、こんな店があったのかといつも驚かされるが、その中でもこの店は別格のようだ。もしかして会員制の店で、一般客は利用できないのかもしれない。

案内された奥まった部屋にはテーブルと座布団が二つ用意され、純和風のシンプルなインテリアだ。治美は一真の祖父と差し向かいで座る。なんとなく居心地が悪くて、内心でため息をついた。

座るとすぐにお茶が出てきて、次に料理が運ばれてきた。料理まで……？　と、戸惑う治美に真一郎が言う。

「相手が私で申し訳ないが、この店の味は間違いないから、よければ食べてくれ」

「は、はい」

やはり一真と喋り方が似ている。一緒に暮らしている間に、自然と一真が真似たのかもしれない。尊大なのに人の心を掴む不思議な口調に、彼らの血の濃さを感じる。

お茶を飲むと、その豊かな旨味に治美は目を見開いた。勧められるまま食事を始めると、驚くほどに美味しくて、するすると胃袋に納まるものだからつい箸が進む。気がつくと夢中で食べていた。

その姿を真一郎が眺めているのにも気付かずに。

おまけにいつもの調子で、「これ美味しいですねー」だの、「わ、舌の上で溶けました」など、嬉しそうに話すものだから、なんだか傍目には楽しい食事会のように見える。給仕をする女性が目を細めて治美を見ているのもあまり気にならない。

デザートが運ばれると給仕の女性が静かに部屋を出ていった。途端に治美は心細くなったが、そんなそぶりは見せまいと踏ん張った。

すると、真一郎がさりげなく尋ねてきた。

「一真の両親のことはどこまで知っているのかな？」

唐突な質問に戸惑いつつ、治美は一真から聞いたままを話す。

「二十数年前……一真さんが小学生の時にお母さまが家を出られて、その直後お父さまが事故で亡くなられたとお聞きしています。その後弟さんと共にお祖父さまに引き取られて育てられたと……」

頷きながら聞いているので、合っているのだろう。この会話はどこに向かっていくのか？　治美は測れずにいた。

「一真の両親は熱烈な恋愛結婚だった。嫁の素行や親族達に問題があり随分と反対をしたんだが、息子の真司郎《しんじろう》は私に無断で結婚をしてしまった。その後は一真から聞いての通りだ。釣り合わない結婚は不幸を生み、母親は夫と子を捨てて出奔した。不幸なことに……真司郎は妻を探している最中に事故死をしてしまったんだ」

それは聞いていなかった。一真の父の悲惨な運命に、治美は心の中で手を合わせた。

「……そうだったんですか……お気の毒に」

なぜ母親は家を出ることになったのか？　治美はそれを知りたいと思ったが、軽率に聞く訳にはいかない。とてもプライベートなことだからだ。

真一郎は少しばかり酒を飲んで気持ちがほぐれていたのか、治美が聞きたいことも話してくれた。

「真司郎が惚れるくらいだから、一真の母親は特別な美人だった。おまけに贅沢《ぜいたく》が好きで、慎ましい私の家内とウマが合わなくてな……。真司郎も時折窘《たしな》めていたから、夫婦間で小さな喧嘩《けんか》が絶えなかった。そのうち双子を家政婦に預けて遊び歩くようになって……出入りしていた銀行員と駆け落ちをしたんだ」

「えっ！」

びっくりして治美は大きな声を上げた。駆け落ちにも驚いたが、真一郎は双子と言わなかったか？　これは一大事だ。一真と同じ顔がこの世にもう一つあるということか？

「あの……脱線して申し訳ありませんが、双子とおっしゃいました？」

「いかにも。一真は双子の兄だ。弟は真二《しんじ》と言う。あいつに会ったことはないのか？」

「ないですっ！　一真は弟さんがいるとだけ……」

興奮しすぎて、いつものように一真と呼んでしまったが、真一郎は気にしていないみたいだった。

「あのっ、弟さんは一真と同じ顔なんですか？」

そこかよ！　と叱られそうだが、わりと大事なところだ。夫となる男性とそっくりな生き物がこの世に存在するとなると、ちょっと色々困る。大事な席で間違えたりしたらまずいではないか。

治美が身を乗り出して答えを待っていると、真一郎は何やら笑いを含んだ表情で首を縦に振った。

「二卵性だが、顔は割と似ている。しかし、決定的に違うのは人間性と存在感だ。一真は男性的で一見近寄り難いが、中身は……。白石さん、貴女が一番よく知っているだろうが、一真は我が孫ながら尊敬に値する男だ。弟の真二は……よく言えば柔らかい。まあ優男で遊び人だ。会社経営には向かないし、あれでは力不足だ。今は東京の系列会社で修行をさせている」

あっさりと兄弟の違いを言い切るが、治美的には弟が気の毒になってきた。一真と比べられれば誰だって凡庸だと思われるだろう。

「話を戻していいか？」

「はい。すみません、つい興奮してしまいました」

「……結局、一真達の母親は行方知らずとなった。私が君たちの結婚に反対したのは、一真が白石さんにひどく惚《ほ》れ込んでいたからだ。恋愛結婚が原因で一真の父、真司郎が悲惨な最期を迎えたからな。それに、私は白石さんの人となりを知らなかった。あの時は、つい感情的になってしまって申し訳ない。今は反省している」

「お祖父様……」

本当だろうか？　先日とはうってかわって態度が軟化しているので、何か魂胆があるのではと疑ってしまう。しかし、もう少し真一郎の話を聞いてみようと治美は真剣な表情で頷いた。

「申し訳ないが、白石さんのことを調べさせてもらった。学生時代の友人、成績。勤務先の評判や異性関係……」

（えっ？　嘘でしょう？　嫌だあ！）

治美は一瞬たじろいだが、大きな声で嫌だと言うわけにもいかない。立場が逆なら、調査を絶対にしないとは言い切れないからだ。治美は何も言わずにまた頷いた。

「白石さんが執刀された外孫にも聞いたが、評判の外科医だそうでひとまず安心した。ご両親も立派な方で、お父さまは県政に尽力されたと聞いている」

「そ……それはどうも、ありがとうございます」

両親を褒められたので礼を言っておく。

「一真は今まで、どんな令嬢を勧めても見合いをしなかった。今回初めて見合いをしたが、する前から断る気だったと聞かされて腹が立った。しかし、若い社長令嬢ではなくて、年齢の近い知的な女性を選んだのだから一真の選択眼を認めなくてはいけないと今は思っている」

「へ……？」

「申し訳なかった。私は息子の結婚を許したことを今だに悔やんで、過去に囚われすぎていた。そのことに気が付かなければ、一真と会社を同時に失うところだった」

一真を手放せば会社が立ちゆかなくなると気がついてくれたのだ。治美はホッと安堵《あんど》した。では結婚を許してくれるのか？

「私たちの結婚を許していただけるのですか？」

『率直』とは、治美のためにあるような言葉だ。真一郎は治美のまっすぐな目を見て頭を下げた。

「頼む。一真と結婚して、あいつが会社を去ることを思いとどまらせてほしい」

「結婚を許しても一真は退職をすると言ったのですか？」

「そうだ。白石さんに謝らなければダメだと言った」

なるほど、そういうことか。治美は深く頷いて真一郎に返事をした。

「私は以前から会社を辞めてはいけないと一真に言っていましたので、それを聞いて安心しました。全力で彼を説得します」

治美の言葉に真一郎はホッとしたようだった。あんなに頑なだった人が、ここまで心を開いて話をしてくれたことが治美には驚きだった。

彼は今でも息子を失ったことに深く傷つき、自分を責め続けている。治美は、真一郎の様子を見ながらいずれ、カウンセリングを受けることを勧めてみようと思った。

長い期間、人が悲しみや憎しみに囚われるのはよくない。心静かに毎日を生きてほしいものだ。

すると真一郎が治美に思わぬことを言った。

「もう一つお願いがあるんだが」

「はい、なんでしょうか？」

「結婚を許す代わりに、長男が生まれたら後継ぎにすると約束してはくれまいか？」

「ダメです。お断りします」

治美は秒で願いをぶった切った。

後継ぎが男でなければならないのもおかしいし、血縁にこだわらず最もふさわしい人物がなるのが正しいと治美は思っている。それは河野家の人間ではないかもしれない。後継者を生まれる前から決めつけてどうする？

結婚をする前からそんな条件を出されては夢も希望もないし、治美が子供を授かる可能性は年齢的にもそれほど高くないから、簡単にそんな約束をしてプレッシャーを感じたくない。

「お祖父様、本当はそれを一真に言ったから、メチャクチャ怒らせたのではないですか？」

治美に言われて真一郎が目を逸らした。やっぱりそうだったのだ。

（もう、まったく……）

困ったじいさんだ。治美は打開策を提示してみた。

「子供が生まれたら、たとえば弟さんのお子さんも含めて男女問わず帝王学を伝授されてはいかがですか？　優秀に成長した子供達が会社を継ぎたいと望んだら、後は本人の努力次第でしょうから……。まあ、河野家の人間でなくても優秀でリーダーに適した人物なら、誰もが社長になる夢を持っていいと思いますけど」

「そうは言っても、代々河野家は……」

歴史の古い名家ならではの面倒臭さを全面に押し出してきそうなので、この話はさっさと切り上げることにした。

「これはあくまでも提案なので、お祖父様の胸に留めていただくだけでいいです」

話をしているのに、さっきからスマートフォンがブルブルと震えてうるさい。多分仕事が終わった一真が心配して電話をかけているのだろう。

「すみません、電話に出てもよろしいでしょうか?」

真一郎が頷いたのでスマートフォンをタップする。

『治美、お祖父様はどうだ?』

「隠れ家みたいな料亭でお食事をいただいて話をしていたのよ。一真どこにいるの?」

聞くとすぐ近くにいるみたいだ。治美は真一郎に一真も同席していいかを尋ねて了解を得た。場所を説明すると知っていると言うので一真の到着を待つ。

やがて一真がやって来た。この店は馴染《なじ》みなのか、お茶を持ってきた女性に予約はしていないが何か食べるものをと手慣れた様子でお願いしている。

今日もよく仕事をしてお腹が空いているのだろう。つくづく健康的な男だ。

治美と祖父の顔を交互に見て、話がいい方向にあることを理解したのか、ジャケットを脱いでその辺にポイと置きどっかりと腰を落ち着ける。そして、お茶を飲んで一息ついてから真一郎にキッパリと言い放った。

「お祖父様、治美と結婚の届けを出します！」

　朗々と言い切ったものだから治美は小さく吹いた。会社を辞める宣言など、色々と祖父に揺さぶりをかけて最後はちゃっかり自分の希望通りに事を進めているのだから、全く侮れない男だ。

　治美の笑いには頓着せずに一真は言いたいことを祖父に伝えている。

「お祖父様は俺を全面的に信じてほしい。もちろん治美のことも。それから、後継問題はその子の適正を見て決める……。それをここで約束してください。約束してくれるなら、俺は会社に残る」

　祖父への最終勧告だ。これで潮造船の未来が決まると言っても過言ではないだろう。治美は息を詰めて真一郎の返事を待った。

「一真……お前と治美さんを信じる。後継もお前の言う通りにする。しかし、私もまだ口は出すつもりだ。それは覚悟しておけ」

　一真は口角を上げて頷いた。そして治美を見て微かに首を傾ける。

『お前も言うことはないのか？』そう言いたいのだろう。一真が来るまでに散々話していたので心配はなかったが、これだけは伝えたかった。

「一真の言葉に重なりますが……、私達が子供を授かるかは分かりません。生まれたとしても女の子かもしれない。でも、その子が将来勉強を重ねて会社を継ぎたいと思った時には門戸を開いてほしいです。それは親族の子供達や優秀な社員達も同じです。男女の差や血筋、その他様々な条件で人を差別しないでほしいと思います。私がお願いしたいのはそれだけです」

「わかった」

真一郎の返事はシンプルだった。やはり一真の祖父だ、二人は似たもの同士なのだ。

「俺も人を育てたいんだ。優秀な人材を採用して海外で経験を積ませてグローバルに活躍させたいと思う。人を育てていけば、いずれは会社を背負って立ってくれる。もちろん男女問わずだ。治美の助言を得て、医療や子育ての支援もしていきたい。治美の言葉に重なるんだが、造船会社だからって男尊女卑は恥ずかしいにも程があると思っている。お祖父様も頭を柔軟にして俺についてきてほしい」

（一真、言うなあ……造船会社の女性登用には、超えなければいけないハードルがいくつもあると思うけど。でも、やるんだよね？）

「それと……個人的な投資で得た資金で、慈善事業を興そうと思って今弁護士や友人達に相談をしているんだ。親を失った子供への援助についてなんだけど……それには治美を理事に置きたいと思っているが、これはまだ先の話だな」

「えっ、なにそれ？」

そんな計画は今まで聞いたこともない。いきなり言われても困る。公立の病院に勤務している身としては、副業は無理だからだ。しかし、子供ができてフルタイムの仕事が難しくなればやれるかもしれない……？

（でも結局、前線から退けば手術の腕が落ちて、外科医としては使い物にならなくなるんだよね……）

そんなことを考えて、治美の顔色が曇ったのを一真は見逃さない。

「治美、まだ先の話だ。それに、理事に就いたとしてもスタッフを付けるから治美は今まで通り病院での仕事を続けられる。嫌なら無理強いはしないから」

「うん、わかった。それならできるかもしれない」

一真の構想は治美にとっても興味のあることで、人の役に立てるのは嬉しい。

一真が夕食を食べ終えるのを待ち三人で店を出る。すると音もなく真一郎の車が現れた。同乗を勧められたが、一真は車で来ているからと断った。治美は車に乗り込む真一郎に丁寧に頭を下げて見送った。

「さて、帰るか」

そう言って指を絡める一真をボーッと見上げる。

（帰る？　どこに？）

そう思ったのだが黙っておく。

「治美、疲れたか？」

「うん。疲れた……。すごく濃い一日だった」

「婚姻届はどうする？」

真一郎の騒動で、今夜するはずだった入籍はまだできていない。このまま役所の夜間受付で受理してもらってもいいが、なんとなく仕切り直しをした方がいい気がしてきた。

「次回の吉日にしない？　今日は勢いが削がれちゃった」

「だな。じゃあ治美のマンションに帰るか？」

「うん。一真は？」

一真は自分のマンションに帰るのかと思って尋ねたのだが、無言で治美のマンション方向に車を走らせる。その間に、治美は病院にいる合田に電話をした。

「合田先生、変わりはないですか？」

「ない、大丈夫だ。何かあれば連絡するが、今夜は静かな夜になりそうだぞ」

「……よかった」

外科病棟の守護神みたいな合田が、『大丈夫』というからには、患者は落ち着いているということだ。治美は安心して電話を切った。すると、一真が運転をしながら電話の相手を尋ねる。

「今の電話の相手は誰だ？」

「ん？　外科の合田先生だよ。彼は一流の外科医だから信頼しているんだ」

褒めるつもりはなかったが、同僚に合田はそう思われているし、彼の腕は確かだ。

「随分と彼を信頼しているんだな？」

「うん、しているよ」

そう答えて一真の顔を見ると、なんと口を尖らせている。それを見て治美はハッと気がついた。あり得ないことだが……合田医師に嫉妬をしているのか？

「か、一真……もしかして嫉妬しているの？」

前方に顔を向けたまま一真が憮然と呟いた。

「治美が俺以外の男を嬉しそうに褒めるのが気に入らないだけだ」

世間ではそれを嫉妬と呼ぶのだが……一真が可愛すぎて、治美は一気に萌えた。

（だって、あの変な合田先生だよ？　そりゃ一真には彼の変人ぶりは話せないけど、彼に嫉妬するなんてあり得ない）

「大丈夫、合田先生はデキる医師だけど私の趣味じゃない。おまけに愛妻家が過ぎて皆に引かれている人なんだ」

「そうなのか？」

「うん。私のスパダリは一真だけだからね」

「……わかった」

そうこうしている間に治美のマンションの近くまでたどり着く。パーキングに駐車すると、一真は自分の荷物をトランクから出しはじめた。

（あ、今夜は泊まるんだね）

部屋に入ってお茶を淹れようとキッチンに向かう。一真は持参した荷物を居間に持ち込んで整理を始めた。

「治美のいる場所が俺の居場所だ」

お茶を差し向かいで飲んでいると唐突にそう言い切るので、治美は「そうだね」と答えておく。出張を度々するけれど、必ず戻ってくると言いたいのだろう。

口に出さなくてもわかっているのにわざわざ言うのは、一真自身が自分に言い聞かせているのではないかと治美は思った。

母親は一真達を置いて出て行ったと真一郎は言った。今回の彼の結婚反対キャンペーンも元はと言えば一真の母親の素行が原因だったし、一真がサーヤちゃんと絆《きずな》を深めたのも母親の不在と父の死が原因だ。そして、治美と一真を結び付けたのは、そのサーヤちゃんの死だった。

良くも悪くも、一真達家族は未だに消えた母親に囚われている……。治美はティーカップをテーブルに置くと、一真の側に座って両手でぎゅっと抱きしめた。

「私も……一真のいるところが私の居場所だよ」

「……うん」

唇が自然と重なり、一真の体を受け止めて治美は床に横たわる。湿った音を響かせて何度もキスを交わし、互いの息が荒くなっていく。息継ぎの合間に唇を離し治美は囁いた。

「ねえ、お風呂どうする?」

「風呂は後……今はベッドに行きたい」

間接照明だけの薄暗い寝室で、服を脱ぎ捨てた一真が治美のセーターを脱がせてブラのホックも外す。ほの白く浮かぶまろみを撫で、頂きをチュッと軽く吸う。

「あっ……」

それだけで治美の体がビクッと震えて声が漏れる。熱くて大きな掌で肩から軽いタッチで撫で下ろされると、肌が期待に粟立ってくる。

今夜の治美はひどく敏感になっていた。吐息がかかるだけで声が漏れてしまうかもしれない。

真一郎との対面で一真の母親の話を聞いたせいなのか？　寂しさを口に出さず必死に生きてきた一真への愛おしさで胸がいっぱいになる。ただただ抱きしめて包み込んでやりたい。おかしなことだ、一真の方がずっと体が大きくて強いというのに。

両腕を伸ばして一真をぎゅっと抱きしめる。

「一真……好き」

治美の言葉に一真の動きが止まった。

「……俺、初めて治美に『好き』って言ってもらった」

驚きと喜びがないまぜになった表情で一真が呟く。そういえば……ずっと以前から好きだったけれど、はっきりと言葉に出したことがなかった。

治美は強い力で一真を抱きしめて囁いた。

「一真、好き。ずっとそばにいてね」

「治美……！」

唇を塞がれて強く吸われると、息が奪われそうなくらいのキスに頭がクラクラする。唇を割り押し入ってきた舌先がトロリ……と絡みついてくる。思いのこもったキスが気持ち良すぎて、一晩中でもしていたい……。治美は甘いため息を漏らした。

「はぁ……っ」

角度を変えて何度も交わされるキスに息継ぎも忘れるほど。呼吸が乱れて頭がジ……ンと痺れそうになる。

「……んっ……んん……っ」

永遠とも思われる時間が過ぎ、離れた唇は首筋から鎖骨を辿っていく。濡れた舌先が鎖骨から下に向かい胸の先端を軽くなぞる。乳輪ごと先端を口に含まれて、甘い痺れが全身に走る。

「んあっ……！」

気持ちが昂《たかぶ》っているせいか今夜はとても感じやすくて、息がかかっただけでも震えてしまう。乳房を下から持ち上げられ先端を何度も舌で転がされ吸われていると頭がおかしくなりそう。

「今日は胸が大きくないか？」

一真の問いかけに薄目を開けて頷く。

「……わかんない。でも、すごく気持ちよくておかしくなりそう」

自分じゃないみたいに甘い声が出てくる。快楽物質が盛大に放出されているのだろうか？　理由を探ろうとするけれど、それさえもどうでもよくなってきた。

胸を好きなだけしゃぶられたせいで、下半身が疼いて仕方がない。触らなくても想像できる。今、指を入れられたら恥ずかしいくらい濡れているだろう。

治美がそんなことを一瞬でも考えたことがわかったのか、一真の手がショーツにかかる。簡単に脱がされて、指が中に入っていく。

「あっ……」

ヌプッと指が中に入ってくるのがわかる。蜜壺をかき混ぜる指が花弁を掠め、愉悦に声が漏れる。それを何度も繰り返されて、痛みにも似た快感で体の震えが止まらない。

「んっ……！　はぅ……っ……あ、はぁ……っ」

迫り来る快楽に身構えるあまり体に力が入り一真の肩に指先が食い込む。ガクガクッと体を震わせながら甘い責め苦を堪えていると、滑った指先で堅い蕾を擦られて背がしなる。

「んぁ……っ！　あっ、あぁぁ……！」

喘ぐ唇を塞がれて、声が一真に奪われる。まるで治美の全てを自分ものにしたいみたいだ。強く吸われながら、達した直後の花弁を指で撫でられてまた腰が跳ねる。

「んんっ……！」

ぬかるんだ蜜口が長い指を呑み込んでいく。まだ収縮したままの中壁が擦られて指に絡みつくのがわかる。

「あぁっ！」

「……っ、治美の中……すごい締め付けてくる」

グチュグチュグチュ……。

何度か抽送を繰り返されて、水音が寝室に響き渡る。耳を塞ぎたくなるようなはしたない音が恥ずかしい。中壁の、ちょうど臍の下あたりをグイ……と強く擦られ腰が跳ね上がる。

「んあ……っ！」

何度も突かれるたびに腰がガクガクと震え愉悦が込み上げてくると、治美の吐息が切羽詰まっていく。

「あぁっ……！　一真ぁ……。あ、あぁっ……！　あ、やぁ、イクッ……！」

背中が大きくしなり、治美は今夜二度目の絶頂を迎え……果てた。

……弛緩《しかん》した下半身を持ち上げ、一真が硬く張り詰めたものを蜜口に押し当てる。

「治美」

薄目を開けると、一真が口角を上げてこちらを見つめていた。

「なぁ……このまま挿れていいか？」

問いかけられて視線を向けると、蜜口に押し当てられ固く怒張した男根が震えているが避妊具がついていない。

「挿れたい。治美の中をナマのままで感じたい。なぁ挿れていいか？」

子供か？　と一瞬思ったが、生憎一真は必死だ。治美は気だるく手を差し伸べた。

「一真……来て……」

花弁を擦りながら蜜口を押し広げて入ってくる。十分すぎるほど蜜が溢れているけれど、それでも固く熱い剛直を受け入れると、内臓が押し上げられるような感覚がする。

「んん……っ、あ、あぁ……キツ……っ」

一真が腰を小刻みに揺らしながら最奥まで楔を打ち込むと、治美は目を閉じてほの甘い吐息を漏らす。

「あぁ……治美の中、気持ちいい……。すごく締め付けて……ほら、こんなにすると……わかるか？　中でまとわりついてくるのが……」

「ぁんん……っ」

腰を引き、またゆっくりと入ってくると圧迫感と愉悦に腰が痺れる。

「はぁ……っ、あぁっ……かずまぁ……」

ズズッ……と男根を引き抜く寸前で止め、ゆっくりと入ってきて最奥をゴリゴリと突く。

何度もその行為を繰り返されて、治美は声を嗄《か》らし涙目で喘いだ。

膣《ちつ》の中を大きくて固い屹立《きつりつ》が進むと、隘路がわななき屹立に絡みつく。体格に比例して重量のある楔を打ちつけられるたびに、治美の体がビクビクッと揺れ衝撃を受け止める。

「かず……ま、大き……っ、あ、やぁ……いっぱい……っ」

はあはあと荒い息を吐きながら、一真が治美の唇を塞ぐ。

「……んっ……んっ、はぁ……っ」

「くっ……治美……っ！」

繰り返す律動が徐々に治美を絶頂に誘い、ときおり腰をグラインドされて突き上げられると、治美の口から嬌声《きょうせい》が漏れる。

「ひぃ……っ……あぁぁ……ッ！」

腰を激しく打ちつけられて、最奥に押し込められた楔がビクビクッと震えた……その瞬間、精が放たれたのを確かに治美は感じた。

「くっ……治美……っ」

「一真ぁ……好きぃ……」

そう言って一真の首に腕を巻き付けると、中でまたビクン……と震えるのがわかった。

「治美……好きだけじゃ……足りない。俺の治美……っ、愛してる」

「一真……私も……愛してるよ」

何度も達したせいで、その後治美はすっかり寝落ちしてしまった。ハッと気がついて目覚めると、一真の寝顔が目の前に迫っていたのでびっくりした。寝息が治美のまつげを揺らす。

間接照明に映し出された美しい顔は、安心しきった子供のよう。三十四歳の大人の男性には似合わない言葉だが、可愛くて愛おしい。その顔を眺めているうちに、治美はまた眠りに落ちていった。

翌週の大安吉日、治美と一真は役所に婚姻届を提出した。一真は入社して初めて三日間の有給休暇を取得したので会社では大騒ぎだったらしい。なんでも……。

「数十億単位の問題が発生した場合には電話をかけてきてもいいが、営業チームと秘書室の誰かの首が飛ぶものと考えておけ」

と、ひどいセリフを吐いていたらしい。パワハラ上司の典型だ。もちろん治美は大いに一真を叱った。

「できるなら電話はしないでほしいな」って言えばいいじゃないの。ちなみに私はそう言ったよ。もう、どうして一真はそんなに横暴なんだろうね」

「……わかったよ。次回はそう言う」

「次回って何よ?」

「結婚の次の大きなイベントといえば出産だろう。その時までセリフは取っておくよ」

何気にプレッシャーをかけられるのが辛いが、まあ許す。

なんとなく……なんとなくだが、一真が荷物を持ち込んで連泊した夜はバリバリ妊娠の可能性が高い日だった。あの夜は一真とセックスをしたというよりも、お互いを慈しみあったという方が合っていた気がする。

特別な夜だったのだ。

もちろん、蕩けそうなほど気持ちよかったのは言うまでもないが……。

治美がそんなことを考えているとも知らずに、一真は早々と夕飯の心配している。もうお腹が空いたのか？

「なあ、夕飯どうする？」

「特別な日なのに、何も用意していないんだよね。どうしようか？」

「じゃあ外食の予約をするぞ」

そう言って一真はスマートフォンを操作して治美の好きな店に予約をした。

二人は夕焼けの空を見上げながら手を繋いで歩いていく。

治美は、安心して一真のそばに寄り添っていた。喧嘩《けんか》もするし意見が合わないこともあるが、今はとても幸せだ。心から自分を大切にしてくれる相手と一緒に歩いていけることに、安堵と大きな喜びを感じていたのだった。

あの雪の日の、焼けるように切ない悲しみはもう感じない。これからは側にいつも一真がいる。その圧倒的な安心感に、治美は目眩《めまい》がしそうなほどに幸福だった。

そして、一真も同じように幸福なのだと確信していた……。

6　治美の品格

　休み明け、医局秘書に入籍後に必要な書類を渡すと、秘書達から隠していた花束を渡されてびっくりする。先週末に、「姓と住所が変わったらどんな書類が必要なの？」と質問して大騒ぎになったので、「週末入籍するけど内緒だよ」とは言っておいたのだが、彼女たちなりにお祝いを考えてくれたのだろう。治美はありがたく受け取った。

「先生おめでとうございます！」

「ありがとー」

　かなりの騒ぎになったので、その辺にいた医師たちがこちらに視線を向けて、「何？　白石が結婚だって？」と、驚きの表情を浮かべている。

（だよね、白石治美が結婚だなんて、私が一番驚いているよ）

　その後、院長室に入り入籍の報告をする。

「白石さんおめでとう、幸せになってね。いつかお相手に会わせてもらえると嬉しいな」

「ありがとうございます。機会がありましたら連れてきます」

　病院長は外科医にしては珍しく穏やかな人物だ。言葉使いも優しいので話をするといつも癒やされる。しかし、そこに外科部長が乱入してきたので、治美は早々に院長室を退出した。すると外科部長が追いかけてきて治美の肩をバンバンと叩く。これが地味に痛いので治美は涙目になった。

「白石ぃー！　ようやく幸せに……俺はもう感無量だぁー」

大袈裟な……と言いたいところだが、生憎外科部長は本気だ。これまでの治美の残念な恋愛をこっそり見聞きしているだけに、感慨もひとしおなのだろう。

「ぶ、部長、ありがとうございます」

すると、医局のドアが開き、合田が薬師神と入ってきた。花束を持った治美を一瞥《いちべつ》すると、うっすらと笑って首を傾げる。

「白石……もう引退か？」

不吉なことを言う男だ。

「するか！　これは結婚のお祝いの花束なの！」

「そうか、そりゃよかった。おめでとう」

「白石先生！　僕……僕……」

薬師神が咽び泣いている。嬉し泣きか？　治美が半歩退いて引き気味に見ていると、バッと治美の両手を取って語りだす。

「先生が幸せになるなんて……色々あったのに、嘘みたいです。本当におめでとうございます！」

割と失礼な言われようだが、薬師神だから許してあげよう。この騒ぎに他の医師達も個室からゾロゾロと出てきて、勝手なことを言いだした。

「披露宴には呼んでくれよ」

「出産は俺に任せろ」

「おい、旦那は超リッチだと聞いたが、クリニックを開業したら俺をバイトで雇ってくれ」

「あ、俺も！」

「俺もー！　形成外科だけどいい？」

などなど、言いたい放題だ。まだ妊娠しているかなんてわからないけれど、できるなら女医に出産は任せたいし、独立する気はさらさらない。披露宴はするかもしれないので、暴言込みの祝福の嵐への礼も含め全員に頭を下げた。

「ありがとうございます。披露宴をすることになったら皆さんをご招待しますので来てください」

「おう！　祝儀は弾むぞ」

これが、ザ・外科医達だ。

外科外来に行くと、担当の看護師に入籍の報告をした。彼女は一真が外来に乗り込んできた時に一緒にいた看護師だったので、治美の報告を聞いて大騒ぎをしたのは言うまでもない。

そして、午後からは外科病棟へ……。

経過はメッセージアプリで友人二人に報告していたので入籍したことは知っているはずなのだが……病棟のナースステーションに入ると、看護師全員が振り返り口々にお祝いの言葉をくれる。処置を終えて戻ってきた美月と相原が治美に抱きついた。

「先生おめでとうございますっ！　今日から河野先生ですよね？」

「先生！　おめでとー！」

「ありがとう！　ようやく……だよ。あ、ちなみに仕事では旧姓で通すよ」

色々あっての入籍なので、治美もつい本音が漏れる。

「あ、そうなんですね。披露宴はやっぱりするんですか？」

「うん、たぶん。立場上やらないとまずいでしょ？　するとしたら、春頃かなあ」

「ちょっと楽しみなんですけど」

「なんで？　あちらのゲストは財界のおじさんばかりだよ」

「だって、雲の上の住人達を生で見るチャンスはそうそうないでしょう？　ＣＭで見た自動車会社の御曹司とか、経団連のなんとかさんとか」

「はあ……すごいな相原」

結婚して、ますます人物観察に磨きが掛かったのか？　相原の興味のベクトルは治美の理解を超えている。そんなことに全く興味のない美月はニコニコ笑ってそれを見ているのだが、この二人、本当にいいコンビだ。

「それにしても、河野さんは写真の数倍もイケメンでしたねー」

病院の玄関先で一真をチラ見した相原が大きな声で言うものだから、師長はじめ病棟スタッフ達が色めきたった。

「先生のご主人って、どんな方なんですか？　河野さんって……患者さんとか？」

そういえば一真は患者でもある。素性が知られても問題はないが、外見についてあれこれ言うのもどうかと思い、治美は曖昧に笑顔でやり過ごすことにした。

どうせ披露宴には相原・美月コンビを含め、医師達や師長などの主要メンバーを呼ぶつもりなので、一真の外見や立場はいずれ知れ渡るだろう。

「そんなことないですよ。相原、褒めすぎだよ」

治美の口調に何かを感じ取ったのか、相原が話を合わせる。

「あー、言い過ぎかなぁ？　まあ、普通にイケメンですよね」

相原が一真を評するが、是が非でもイケメンは崩したくないらしい。後で一真と治美の対決を見守ってくれた外科の外来看護師にも口止めをしておこう。

そんなこんなで……治美が一真と入籍を果たした日から一週間が経った週末、マンションにある人物が訪ねてきた。一真の双子の弟夫婦だ。

急に来ることになったので、焦って家中を綺麗にし、朝早くからデパ地下に行って寿司やオードブルをテイクアウトするなどバタバタしたのでかなり疲れた。

ほぼスッピンで客を迎えることになり少々恥ずかしかったのだが……治美は自分を飾るよりも、遠路はるばる来てくれた客をもてなそうと必死だったのだ。

「真二、よく来たな」

一真の双子の弟の真二が、東京から新幹線と特急を乗り継いで妻と一緒にやってきた。名目は結婚祝いと祖父母のご機嫌伺いだが、治美に会うためにやってきたに違いない。治美は『こんなんですみません』と思いつつ二人を迎えた。

真二は確かに一真と顔は似ていたのだが、以前真一郎が言っていたように一真とは雰囲気が全く違う男性だった。

ぶっちゃけ、一真は硬派で真二は軟派な感じだ。おしゃれな服装の美人妻とお似合いで、二人が並ぶと華やかだった。そんな二人を見て女子力の低い治美は少し気後れを感じた。

(私は一真と似合いに見えるのかなぁ……?)

そこは残念ながら自信がない。

とっておきのワインと共に食事を囲んでの談笑が始まった。治美は一真に恥ずかしい思いをさせないようにと一生懸命もてなした。

美味しいと評判の寿司やデパ地下人気のオードブルは、二人の舌に合ったようで治美はホッとした。

しかし、キッチンにデザートを取りに行っていた時にそれは起こった……。

「なあ兄貴……」

酔った真二の声が耳に入る。

「やっぱり嫁は顔じゃなくて頭で選んだわけ？」

聞き間違いかと思ったが、どうもそうではなさそうだ。それまで機嫌の良かった一真が、真二の言葉を聞いて黙り込む。一瞬にして室内の空気が変わったことに気がついた治美は、デザートを放り投げて一真の元に行こうかと思ったのだが……すると、場の空気に気がつかない真二の妻がクスクスと笑い出した。

「あなた、それは失礼よ。一真さんだって、そうですとは言えないじゃない」

一真の無言の抗議を勘違いしたのか、それとも治美に聞こえないだろうからディスってもいいと思ったのか？　あいにく治美は全てを耳に入れ、紅茶を淹れながらガッカリしていた。

なんと言うか……かなり失礼な言い草だ。

真二の妻は本当に綺麗な顔で、化粧も髪型も完璧だ。それに比べて治美は、ほぼすっぴんで髪も後ろで一括りにしているので地味で老けて見えるのだろう。自分が美人ではないことはわかっているものの、そこまで酷いとは思えないし笑いものにされる謂《い》われはない。

優男で遊び人……祖父、真一郎が真二を評していたが、それに加えて愚かなおしゃべり男の称号も与えてやろうじゃないの。

治美はそう思いながら、にこやかにデザートと紅茶をテーブルに運んだ。すると、一真が立ち上がって真二を呼ぶ。

「真二、ちょっといいか？」

「う、うん……」

二人揃って一真の書斎に入っていった。一真の後ろ姿からも怒りのオーラが伝わってきて治美は不安になるが、真二の妻は全くそれに気がついていない。

治美はデパ地下で人気のケーキと香り高い紅茶を置いてソファーに腰をかけた。

「このケーキは一番人気らしいです。どうぞ召し上がってください」

「へぇー、田舎にしてはオシャレなケーキですね。頂きます」

言葉の一つ一つに毒が散りばめられており、実に残念だが治美は笑顔で言う。

「京都の人気パティシエの作だそうです。まぁ東京から見れば京都も田舎ですかね」

「あっ……あら、そうなの？」

真二の妻が気まずそうにケーキにフォークを入れる。すると、書斎のドアが開き、二人が出てきた。

「治美、急に用ができたから真二達はお祖父様の家に向かうそうだ」

「えっ？」

スタスタと一真が近づいて、真二達の荷物を手に玄関に向かう。真二の妻は慌てて立ち上がると不安そうに夫に視線を向けた。

真二は俯き加減で治美の前を通り過ぎると、妻の手を取り慌てて玄関に向かう。

治美も玄関で見送ったのだが、小声で礼を言うと逃げるように二人は出ていったので呆《あっ》気《け》に取られてしまった。

ドアが閉められると、一真が息を吐く。怒りで緊張していた肩が下り、一真の戦闘態勢が終了したようだ。

「治美、ごめん。祝いをしたいと言うから家に入れたが……失礼な態度ばかりで辛かっただろう。本当にすまなかった」

「えっ……？　一真、いいのよ別に。ああいう人はどこにでもいるんだから。ただ一真のたった一人の弟さんだから残念だったけど」

「二人は披露宴にも呼ばないし、もう家にも入らせない」

「一真……？」

「妻に情けない姿を見せるのはかわいそうだから書斎で叱った。性根は変わらないものだな……いくら注意をしても治らない」

一真が静かに怒っている。言葉はそれほど乱暴ではないけれど、たった一人の弟を披露宴にも呼ばず、もう家にも入れないとはただごとではない。

「一真、真二さんに何て言ったの？」

「……ごめん……その……」

「責めないから言って」

※　　※　　※

書斎に入るなり一真は静かに弟に告げたのだった。

「俺の妻は綺麗で非常に賢い。しかも優しいから前達に嫌な顔を見せないが、俺は違う。よくも治美を貶《けな》したな。お前達が急に来ると言うから、仕事で疲れているのに必死に前日から用意をして懸命にもてなしているんだぞ。それに感謝もせず……何の咎《とが》があって治美はお前達夫婦にバカにされなくてはいけないんだ？　真二、俺に説明してみろ」

「えっ……顔のこと？　……本気で言ったんじゃないんだけど」

「俺は以前からお前に注意をしていただろう？　軽薄な口を慎めと。一旦口から出た言葉は、絶対に言わなかったことにはできない。俺の妻を軽々しく扱う者は家族だと思わない」

「か、一真……？」

怒る一真に、真二は何も言えなかった。一真が本気で怒ったらどんな怖いことになるのかを知っているからだ。


真二は妻と共にタクシーに揺られながら、ガックリと肩を落としていた。

『一真の妻は医者だが親は役所勤めで、河野家とは釣り合わない田舎者だ。一真は気の迷いで結婚したが、多分すぐに離婚するだろう』……実は、叔父からそう聞かされていたのだ。だから、ワインの酔いも手伝ってつい口が滑った。

祖父の怒りを買って本社を出禁にされていたから、真二はしばらく一真と会っていなかった。子供の頃からデキる兄にはコンプレックスを抱いていたのは事実だ。

そのせいか、疲れた顔の所帯じみた治美を見た時に、一真に対して初めて優越感を味わった。『俺の妻はこんなに美人だぞ、それに比べてお前の妻は……』それがいけなかったのだ。

左遷されたままでいるのも、そろそろ潮時だ。真二は結婚祝いを口実に一真に会って、本社のいいポストを用意してもらおうと思っていたのだが、それもダメにしてしまった。

※　※　※

真二達の様子が気になっていたので、治美はその夜一真の祖父母の家に電話をした。すると、いきなり祖母に謝られて慌てる。どうやら真二から一真に叱られた話を聞いたらしい。

『本当にごめんなさい。実は主人からも叱られて、真二はかなり落ち込んでいるのよ。ついさっき、このままずっと東京の系列会社で燻《くすぶ》っていろって怒鳴られていたわ』

「それはまた……」

『いいのよ、じっくりと反省するといいわ。双子なのに一真とは性格が正反対でね、それでも子供の頃は人懐っこくて可愛かったのだけど、結婚して東京の系列会社に行かせてから人が変わってしまって、私もどうしたらいいのか……』

「はあ……」

そう言われても今日初めて真二に会ったばかりなので答えに困る。すると、真一郎が電話を替わった。同じように詫びられて恐縮する。

『すまなかった。一真には後継者として厳しく接したが、真二には甘かったのかもしれない。私の育て方に問題があったのだろう。これからも真二から妙なことを言われたら私に連絡してほしい』

「お祖父様、真二さんも酔っていたので思ってもいないことを言ったんでしょう。私は気にしていません。ただ一真が怒っているので、ちょっと様子を見ます」

『申し訳ない。真二には後日詫びを入れさせる』

治美は翌日、祖父の家に滞在している真二夫婦に会いに行こうと思った。もちろん一真と一緒に。治美は真一郎にそれを伝えた。

電話を終えて、書斎で仕事をしている一真にそっと声をかける。

「ねえ一真、ちょっといい？」

「ん？」

メガネをかけてパソコンに向かう一真に一瞬見惚《みと》れてしまう。メガネ男子は別に好みではないのだが……この男、熱い性格でも治美を虜にしてくれるが、眼福な顔面でも本当に楽しませてくれる。

（あーもう、好き！）

しかし、そんなことを言っている場合ではない。

「一真、私のお願いを聞いてくれる？」

「珍しいな、治美からお願いだなんて……一体何？」

「とても大事なことだよ。一緒に行ってほしい所があるんだ」

真二はいけすかない弟だけど、ここは一真のために喧嘩別れをさせてはいけないと思ったのだ。だって、たった一人の弟なのだから。治美は一真の側に置かれた椅子に腰をかけて明日の予定を話した……。

翌日の午前十時、治美はマンションの近所で評判のロールケーキと郷土のお土産を持って一真と共に祖父の家に向かった。昼からは病棟に顔を出そうと思っていたので、午前のお茶の時間帯を狙ったのだ。

昨夜、一緒に祖父の家に行ってほしいと一真に言うと、なかなか首を縦に振らなかった。治美はこれまで一真に何でも言うことを聞いてもらっていたので、これほど頑なな一真を見たことがなかったが、結局最後は折れてくれた。

治美には計画があった。それは別に大袈裟なものではない。自分の目の前で妻が弟夫婦に貶されて怒りが湧いたのなら、今度は治美が幸せに輝いて褒められる姿を目にすれば、少しだけ一真の溜飲が下がるのではないかと思ったのだ。ついでに、弟が本当のバカでなければ兄に謝罪をするだろう。

一真の怒りはそれだけでは収まらないだろうけど。治美のために怒ったのは確かだが、弟の品のない軽口や人を貶して平気な人間性にも一真は失望したのではないかと治美は思っていた。

なぜなら、当の治美が真二に対してそう感じたからだ。あれでは大切な会社の中枢部には置けないだろうし、造船会社という特殊で硬派な社風に合わない気がする。

治美はその日、一真から性懲りもなく贈られたハイブランドの洋服の中で厳選した美しいツーピースを身につけた。セミロングの髪の毛は軽く巻き、メイクも淡く上品に仕上げた。

早朝からベッドを抜け出しておめかしを始めたものだから拗ねていた一真も、メイクをして自分が買った洋服を着こなした治美を見て瞳が輝いた。その代わり喜びすぎた一真にベッドに押し倒されそうになって、かわすのに苦労したのだがそれはご愛嬌だ。

これで治美は、昨日の真二の妻と同じ土俵に上がった。治美だって一真のためなら身を飾るし、必要なら辛辣にもなれる。そう、戦う準備はできているのだ。

「まあ！　治美さんいらっしゃい」

一真の祖母が大喜びで治美を迎え入れる。祖母の喜代は初対面の際に治美に医療相談をしてから病院を変えて、今は体調が回復し治美に全面的な信頼を置いている。あんなに嫌っていた真一郎も懐に入れれば優しくて、今では治美の言うことを聞いて晩酌の量を減らしたり健康管理にも積極的になってきた。

今や一真の祖父の家は治美にとって、アウェーではなくホームなのだ。

それを知らない真二の妻は、治美が大歓迎されていることに目を丸くしていた。真二も目を剝いている。

「いらっしゃい。おっ、それは何だ?」

真一郎が治美の持参したケーキに目を留める。

「近所で評判のダイエットケーキです。生地に糖質制限の小麦粉や最高級の卵を使っているんですって」

「まあ、それは良いわね。早速頂きましょう」

家政婦の女性にケーキを渡し、治美と一真はリビングのソファーに腰をかけた。治美の隣には真二の妻が座っている。今日の彼女は昨日のように華やかな服装ではなく、カーディガンに花柄のスカートという普通の格好だ。化粧をして髪の毛も整えてはいるものの、これといって素敵には見えない。こうして眺めると、すごい美人というほどでもなさそうだ。

それに比べて治美は……一真が尻尾を振るほどに美しく装って、完全武装状態だ。

真二の妻が治美の服にチラチラと羨望の眼差しを向ける。その視線に気がついていないふりをして治美は喜代と話をしていた。

「この前病院で検査をしたんだけどね、心電図の結果が気になるって言われて、なんだったかしら……不整脈だったかしら？　結局様子を見ましょうということになったのよ。血液検査は問題なかったわ」

「そうですか。来週にでも循環器の医師に話を聞いてみますね。血液検査に異常がなかったのはよかったです。スポーツクラブで適度な運動をしている成果かも」

「そうなのよ。運動を始めてからよく眠れるようになってね、治美さんに相談して本当によかったわ。一真、お前はいい奥さんをもらってくれたわ」

祖母がそういうと、まんざらでもない顔で一真が言う。

「お祖母様、もらったんじゃなくて、治美がやっと来てくれたんですよ。出会った時からしつこく結婚してくれと言い続けてやっと……です」

治美は置かれた紅茶に口を付ける寸前だったので吹くのを免れた。嘘ではないが、何もそれを今言わなくてもいいのに……。

すると、真二の妻がますます目を丸くして治美を凝視する。これでは無視することができない。そろそろ戦闘開始か？

「香織《かおり》さん、どうされました？　私の顔に何かついていますか？」

「あ、いえ……」

一真が格下の女と結婚したと思っているものだから、今の状況が理解できないのだろう。

すると、喜代がお気に入りのネタを披露し始めた。

「そういえば信弘が治美さんに会いたいって言っていたのだけど」

信弘とは、治美が手術した患者で、一真の従兄弟だ。

「なんだ、信弘はもう盲腸は治ったんだろう？　なんて治美に会いたがるんだ？　気持ち悪い奴だなあ」

従兄弟を思いっきり貶しているが、一真自身も似たようなものだ。ただ違うのは治美も一真に惹かれていたというだけ。

「仕方ないわよ。治美さんに命を救われたんだから。それでね、信弘が……」

今度は一真の従兄弟の健康相談を祖母経由で聞かされる羽目になった。治美は苦笑しながら話に耳を傾ける。傍では真一郎がロールケーキに舌鼓を打っている。

「これはクリームがしつこくなくて美味いな」

「お祖父様、生クリームは低脂肪らしいです」

一真がケーキの解説をしていると、真二がそういえば……と、唐突に関係のない話を始めた。

「信弘は確か、治美さんと同じ大学じゃなかったっけ？」

治美は地元の国立大学を卒業しているが、一真の従兄弟も同じ大学なのかと話に耳を傾ける。皆の視線が集まったので、真二は得意そうに話を続けている。

「信弘は一浪して入ったけど、あそこの偏差値はそう高くなかったような……」

そう言って妻に視線を向けて自慢げに言う。

「香織は私立のお嬢さん学校だったけど、偏差値は高かったよな？」

「それほどでもないのよ。六十近いくらいで……」

「信弘は国立だけど、それよりも低かった。だからいい年になっても相変わらず忙しくかけずり回っているんだな」

真二の言葉を聞いて、治美は悲しい気持ちになった。信弘に手術を勧めた時、仕事があるから入院はできないと必死に拒んでいた。自分の体を大切にしないのはいけないことだが、それほど仕事に一生懸命な人なのだと治美は感心していたのだ。

従兄弟を貶してでも自分の妻の自慢をしたいのだろうか？　それも偏差値とは……ちょっと意味不明な真二の言動に、もうこれ以上兄弟仲を取りもつのはやめようかと治美は思い始めていた。

すると真二が矛先をこちらに向ける。

「兄貴は偏差値高かったよな？　治美さんは……？」

「いや、俺は法学部だから大したことはない。治美の学部より少し高いくらいだ。治美は六十五くらいか？」

「忘れたし、偏差値なんて関係ないよ。異常なほどできる同期もいれば、逆に大丈夫かと心配になる同期もいたからね。医学部はバリエーション豊かで面白い人間が多いんだ」

「だな」

それでこの話は終わりだ。偏差値など、今更何だというのだ？

すると、ケーキ食べ終えた真一郎が一真に仕事の話をし始めた。

「一真、近々アテネ事業所に行くのか？」

「地獄耳だなあ……四月に行く予定です。アテネには行きますが、滞在はサントリーニかミコノスにしようかと思っています。だから、事業所には数日だけ顔を出します」

「じゃあ、何のために行くんだ？」

一真は治美に視線を向けて『言っていいか？』という顔をしたので治美は笑って頷いた。

「新婚旅行ですよ。治美の行きたい場所が丁度ギリシャだったので、ついでに向こうで仕事もしてこようかと思いまして」

「そうか。私も久しぶりに行ってみたいが」

「……お祖父様、それだけはやめてください」

「何がだ？」

「俺たちに付いてくる気でしょう？　わかっていますか？　新婚旅行なんですよ」

「お祖父さんったら、冗談でも付いて行くなんて言わないでよ。もう……ごめんなさいね、治美さん」

「いいえ。お祖父様どうして行きたいと思われたんですか？」

「いや、ちょっと一真を困らせてやろうかと……」

「や・め・て・ください」

一真が真顔で祖父に言い聞かせている。治美は可笑しくなって祖母と顔を見合わせて笑った。

真二夫婦は退屈そうな顔で話を聞いている。それに引き換え、一真は昨日とは打って変わって楽しそうだ。とりあえず一真の溜飲は下がったのだろう。治美はそろそろ帰ろうと思っていた。一真にそれが通じたのか、腰を浮かせて祖父に声を掛ける。

「治美が昼から病院に顔を出す予定なので、俺たちはこの辺で……」

そう言いかけると、真二が何を思ったのか声を上げる。

「休みの日まで……よく働きますねえ。さぞ給料はいいのでしょう？」

いきなりお金の話などして相手に失礼だとは思わないのだろうか？　治美はにこやかに否定する。

「いいえ。公務員なので大したことはありません」

すると、夫婦が驚いて同時に声を上げる。

「えっ、ありえない！」

「何がですか？」

「東京の流行っている個人病院なら、ものすごい報酬がありますよ。なんだって安い給料でキツい仕事をしているんですか？」

ああ、そういう考えの人なのか。真二は結婚して以前とは性格が変わってしまったと喜代が話していたが、もしかしたら生まれつき一真や治美とは相容れない考えの持ち主だったのかもしれない。

（もう、この人と一真の仲を心配する必要はないかな……？）

だから治美は、遠慮せず自分の信念を端的に答えた。

「使命だから」

一瞬、治美の言葉に、部屋がシ……ンとなった。

すると、真二の妻がクスクスと笑い出す。

「随分と格好つけているんですね。結局仕事はお金を得るためでしょう？　お祖父様の会社だって、利益を追求してこれだけ大きくなったのだし、これからも巨額の富を生んで、河野家は栄えるのだろうから。お金より使命が大切だなんて、嘘っぽいですよ」

もっともな意見に聞こえるが、根本から違うと治美は感じた。すると、祖父が厳しい顔つきで孫の妻を窘める。

「香織さんはわかったようなことを言うが、潮造船の何を知って巨額の富を生むと言うのかね？」

「え、だってその通りでは？」

甘えた声で言うが、もしかしてその富の恩恵を得ていることを当然だと思っているのだろうか？　自分は選民だとでも？

「巨大企業は、世のため人のためにあるものだと知らないのかね？　香織さん、貴女は立派な大学を出て何を学んだ？　それに先ほどから治美さんに失礼な言動をとり続けているのはどういう了見だ？　それから真二、外孫の信弘をあくせく働く馬鹿者だと評したが、それのどこが悪い。現にここにもあくせく働く企業のトップがいるぞ、なあ一真」

「そうですね。お祖父様、俺たちはこの辺でお暇します。また……」

一真が立ち上がったので、治美も慌てて腰を上げる。真二夫婦への土産を持参していたので、空気が悪いが声をかけて渡す。

「これ、郷土の土産です。よかったらお持ち帰りください」

治美から差し出された袋をギョッとした顔で真二の妻が見る。

「どうぞ。せっかく買ってきたので受け取ってください」

爆弾でも入っているかのように恐々と受け取られてちょっと傷つくが、一真はもうリビングを出て行こうとしているので慌てて追った。

玄関先に祖母がやってきて、また謝られた。

「治美さん、ごめんなさいね。兄弟の仲を取り持つのは失敗だったわね、残念だわ」

「こちらこそ、なんだか不穏な空気になってしまって申し訳ありません。お祖父様にもお詫びを……」

「いいのよ。馬鹿な真二夫婦を許してやって」

「治美、帰ろう。お祖母様また来ます」

一真が手を引くので、治美は引きずられるように外に出た。

車に乗り込み無言でマンションに向かう。一真が一言も喋らないので、怒っているのかと思っていた。しかし、赤信号待ちで車を停めると、いきなり大きな伸びをして声を上げる。

「あー、俺、痺れた！」

いきなり意味不明なことを言うからギョッとする。足でも痺れていたのか？

「え、なに？　痺れたってどこが？」

この男、時々妙なことを言うから面白いのだが……。

「使命だから……！　俺、胸に弾丸をくらった気分だった。治美お前は本当に……俺、すごく好きだ！」

「ななな、何言ってんの？　いきなり好きとか……まあ、私も一真が好きだけど……私の場合、公立病院勤務だから特にその思いは強いかもね。ほら、公僕ってヤツよ」

「いや、お前は特別だ。本当に俺の治美……愛してるよ」

「やだ一真ったら。照れる」

こんなバカップルでいいのか？　とりあえず一真の機嫌が直ったので、治美は胸を撫で下ろしたのだった。


その夜。サテンのシーツの上で、治美は力強い腕に組み敷かれていた。腰にまたがった一真がゆっくりと動くたびに、甘い喘ぎ声を止めることができない。

太い楔を打ち付けられて、それが抜かれる寸前で止まる。その抽送が繰り返されるたびに、愉悦がジワジワと深まっていく。

「治美……中が吸い付いてきてやばい。俺イキそう……」

　最奥に剛直が当たり、中を抉るように腰を動かされると激しい快感に中壁が剛直を締め付ける。ゆっくりと引き抜こうとすれば、逃さないというように中の襞が絡みつく。終わりのない抽送に治美は細い悲鳴のような声をあげ続けた。

「ひ……ぃんっ！　あっ、あぁぁ……！」

「くっ……はる……み」

　震える両手を空に伸ばせば、左手を一真に捉えられ甲に口付けられる。

「かずまぁ……すき」

　その言葉でまた、中の剛直が膨れ上がり隘路が愛液で潤む。クチュクチュと粘っこい水音が響き、お腹側の壁を剛直が擦ると治美の体がビクッと震える。そこを狙って何度も抽送を繰り返され、奥に楔を打ち込まれていく。

「あっ……はぁっ……あぁ……っ……んんっ……！」

　治美の喘ぎ声は高く甘く寝室に響き、悦楽の波に飲み込まれそうになる。最奥の子宮口に剛直を激しく打ち付けられて、痛みとは違う重い愉悦が込み上げ目の前が真っ白になるような感覚に襲われた。

「あっ……かずまっ！　あ、きちゃ……う！　あぁッ！」

「はるみ……っ！」

　二人は同時に果て、シーツに沈み込んでいった。

深夜に目覚めると、シーツはぐしゃぐしゃによれ、汗だくだった体が冷えていた。治美の小さな動きに反応して一真が目を覚ます。

「治美……」

冷えた体が引き寄せられて、広い胸に収まった。冬の一真は治美にとって毛布のような存在だ。瞬時で温められるのだから。

こうして、深夜に一真と抱き合っていると、初めて会った夜のことを思い出す。あの日の言葉にできない悲しみとやるせなさ……一真に出会うまで、そんな夜をどうやってやり過ごしてきたのかもう忘れてしまった。

一真にも、そんな夜が幾度かあったことだろう。しかしもう、それを思い出してほしくないと治美は思う。硬い体をギュッと抱き締めると、大きな掌で髪の毛を撫でられる。

「治美、眠れないのか？」

「ううん。……ねえ、一真」

「ん？」

「四月のギリシャってどんな感じなのかなあ？」

「春だから気候も自然も最高だぞ。海は少し寒いから泳ぎはやめた方がいいけどな」

「そっか……楽しみだね」

「ああ」

治美は目を閉じてエーゲ海の青い海や爽やかな気候を思い浮かべていた。後もう少し仕事を頑張れば長い休みが取れる。そうしたら……。

一真の規則正しい心音を聞きながら、治美はいつしか眠りについていたのだった。

7　多分、縁と胆力

四月のギリシャは、夏に比べると雨が多いらしいのだが、ありがたいことに今回の旅行では晴天に恵まれた。それでも朝夕は肌寒く、一真のアドバイス通りに羽織ものを持参して正解だった。

ホテルは星付きの高級ホテル。白が基調の室内はため息が漏れるほどに贅沢《ぜいたく》なしつらえで、窓から見える景色は想像のはるか上を行く美しさ。特に最高だったのは、エーゲ海に向かって突き出たベランダから眺める夕日だ。水平線に沈む太陽が全てをピンク色に染める様は夢のようで、眺めていると時間が溶けていくよう。

一真の案内で白い路地をそぞろ歩いてランチに向かうと、路地の隅にひっそりと佇む猫達に癒された。黒い猫が多いと勝手にイメージしていたが、意外にも日本の雑種と毛色の似た猫が多かった。しかしスタイルは細く優美で、そこはやっぱり外国の猫のイメージを裏切らない。

ランチの後、治美がジェラートの店を見つけて買い物をしていた時のこと。なぜか一真が無言で離れ、路地に向かって歩いていった。旅行の間中、片時も治美の側を離れなかったので、意外に思って声を掛けたが返事が無い。

ジェラートを受け取り駆け寄ると、一真は路地の向こうをじっと見つめている。

「か……」

声をかけようとして治美はハッとした。一真の視線の先に一匹の猫が歩いていたからだ。

それは三毛猫によく似た小太りの猫で、自分の行き先がはっきりとわかっているみたいにピンと尻尾を立て悠然と歩いている。途中で一度だけ立ち止まり、こちらを振り返ると「ニャッ」と一声鳴き路地を曲がって視界から消えていった。

「一真」

声を掛けそっと寄り添うと一真がこちらを振り返る。笑っているけれど、その目が少し濡れているように感じられて、治美の胸がキュッと締め付けられた。

サーヤちゃんを思い出しているのだろう。治美はそれには触れずに笑顔で話しかけた。

「ジェラートめちゃくちゃ美味しそう。食べよう！」


その夜、ベッドで抱き合って眠っている時に、治美は一真に問いかけた。

「ねえ一真」

「ん？」

「今日見かけた猫、サーヤちゃんに似ていたと思わない？」

「ああ……サーヤかと思って、一瞬ドキッとしたよ」

「触らせてもらえなかったの?」

「もう猫には触らないし、飼うこともない。そう決めているんだ」

「そうなのね」

それ以上、治美は何も言えなくなった。すると、一真がボツリと呟く。

「声もサーヤによく似ていた。そっくりさんでも会えてよかったよ」

「……うん、よかったね」


ギリシャの島々はまさに異空間だ。映像で繰り返し見ていた風景なのに、いざそこに身を置くと現実味が感じられなくて夢のよう。

昼間の出来事も、サーヤを偲《しの》ぶ一真をかわいそうに思って、天国から元気な姿を垣間見せてくれたようにさえ思えてくる。

すでに寝息を立てている一真に治美は囁いた。

「ここは猫天国だから、サーヤちゃんが特別に会いにきてくれたのかもね」

「ん……」

寝言を発した一真の口元が微かに微笑んだ気がして、治美も笑顔で目を閉じたのだった。

島には三泊して、その後はアテネに飛行機で向かった。一真はアテネ事務所に立ち寄り、治美は現地の女性社員に案内してもらって土産物店やショッピングモールで買い物を楽しんだ。

1570

はじめましての際に、案内の女性から結婚の祝いの言葉をもらい笑顔で礼を言うと、何やら早口で話しかけられ必死に耳を傾ける。

英語が堪能な方ではないが、単語と表情からして言いたいことは大体わかる。

「よくもまあ、あんなホットでパーフェクトな男性と結婚できたね。何か秘訣はあるの？」的なことを言われているようだったので、単語を並べて端的に答えた。

「多分、縁《えにし》と胆力かな」

「それって日本人的な考え方だよね。でもラッキーだったね」

と、明るい感想を持たれたが、胆力は『ｃｏｕｒａｇｅ』と訳したけど、多分言いたいことは伝わったんだと思う。

彼女の勧めで、ギリシャで有名なお酒を数本と青い目玉のお守りを多数、それにオリーブの石鹸《せっけん》を買った。それと、ハーブティーも買った方がいいと袋に入った大量のお茶を猛プッシュされたが丁重に断った。ヤバい葉っぱに間違えられては面倒だからだ。

翌日一真と二人っきりで観光を楽しみホテルでゆっくりと過ごして帰国した。

一週間のハネムーンは夢のように過ぎ、よく食べよく眠れた。枕が変わると眠れない話などを聞くが、治美の場合その心配は全く無くて、心が満たされている状態なら無敵なのだと自分でもよくわかった。もちろん帰りの機内でも爆睡して一真に呆れられるほど。

帰国して三日の休みの間ずっと眠かったが、時差ボケかなと思いつつ荷物の整理やインテリアを整えたりして過ごした。元々住んでいたマンションを引き払う際に断捨離はしたのだが、それでも荷物はかなり多い。

しかし、殺風景だった室内を心地よい空間に変えていくのは楽しく、片付けの最中も必要なものをネットで選びながら過ごした。

仕事を再開する前日、院内で配る土産を分けている最中に腹痛がして横になっていた。寒いから腹痛がしたのだと思い、ブランケットを掛けてソファーで丸まっているうちにいつの間にかうたた寝をしていた。

なぜか夢にギリシャで出会った三毛猫ちゃんが出てきてニャッ！　と鳴かれる。

(可愛いなぁ)

笑顔で目覚めて、治美はあることに気がついた。

「そういえば私……生理が遅れてる」

生理が始まる前には必ず頭痛の予兆があるのだが、最近はそれがなかったので遅れていることに気が付かなかった。妊娠検査薬を買って確かめようと近くのドラッグストアに向かう。マンションの周辺には百貨店やスーパー、ドラッグストアまで揃っているので大変助かる。

検査の結果は陽性で、治美は驚きと嬉しさで飛び上がりそうになった。

こんなに早く妊娠できるとは思ってもいなかった。年齢や積み重なった不摂生、それに仕事のストレスなど半端ないから、妊娠は難しいと思い込んでいたのだ。

「どうしよう。一真に報告……」

すぐにでも連絡したいけれど、婦人科を受診してからの方がいいかもしれない。ぬか喜びになれば一真が可哀想だ。

一真は取引先との会食を終えて午後十時に帰宅した。今夜は一真の食事を作らなくていいのでお粥を作って食べたのだが、帰宅してすぐに一真が冷蔵庫を覗き込んでいたので声を掛ける。

「もしかしてお腹空いたの？」

「会話が白熱して、あまり食べる暇がなかった」

「お粥ならあるけど食べる？」

「食べる。治美が粥なんて珍しいな、具合でも悪いのか？」

「うん、ちょっとお腹が」

ゴニョゴニョと呟くと、すぐに側にやってきて治美の背中をさする。

「大丈夫か？　他の人間になら病院に行こうと言うんだが、治美の見立てはどうなんだ？」

「うん……」

結局墓穴を掘ってしまって、脇に汗がじんわりと滲む。やはり正直に話しておいた方がよさそうだ。でないといらぬ心配をかけてしまう。治美は言葉を選びながらボソボソと説明をする。

「腹痛がしたから横になっていたのよ。あの……ね、私も迂闊だったんだけど、飛行機にも乗っちゃったし、ちょっと心配ではあるんだけど……」

要領を得ない会話に苦笑しながら、一真が治美の髪を撫で優しい口調で尋ねた。

「で、心配の元は何なんだ？　治美の何が迂闊だったんだ？」

「ごめん、迂闊っていうのも変な言い方だね。まだ確実じゃないんだけど、その……妊娠検査薬で陽性が出たの」

「……」

三秒、息を止めて一真の反応を待ったが何も言ってくれない。治美はドキドキしながら一真に顔を向ける。

イケメンは呆然としていてもイケメンだった。驚愕と喜び、それに戸惑いと感激の表情がないまぜになって現れていく。治美の視界が暗くなって頬が一真のシャツに押し付けられた。ギューッと抱きしめられ、その温かい懐に体を預ける。

「明日、ちゃんと受診して診断してもらうね。検査薬はあくまでも目安だし、飛行機に乗ったから、油断はできないんだけど」

「うん……」

「一真？」

声が震えている気がして心配になる。

「一真、泣いてるの？」

「泣いてない」

「そう？　あのね、私は若くないし、ストレスまみれの不規則な生活をしているから、こんなに早く妊娠するなんて思ってもいなかったの。でも本当に妊娠していたとしたら嬉しい。語彙が乏しいから、うまく言葉にならないんだけど……一真？」

一真が震えているように思えて治美は顔を上げた。一真は肩を震わせ涙をポロポロと流していた。滑らかな肌を流れる涙が、まるで透明な宝石にように綺麗で……治美は夫の泣き顔に魅入っていた。

「治美……ありがとう……。俺……っ」

一真の涙を見たのは、出会った時以来だった。一真にとって、家族がどんなにかけがえのないものか、治美には痛いほどわかっている。

だから、治美は中腰になって一真の大きな体を両腕で抱きしめた。

「一真、大丈夫。なんとなくだけど、私は丈夫な子を産む気がするよ」

あれから八ヶ月、無事暑い夏を乗り越えた妊婦の治美は、明日のイブに備えて自宅でクリスマスツリーの飾り付けをしていた。

相原のハネムーン土産のクリスマスオーナメントは素朴な木製で、大きなツリーに飾ると意外と映えるし上品だった。もらった時には正直『なんでこれなの？』と思ったが、いざ飾ってみると『相原サイコー』と内心で喝采を送っている。

「後で相原に写真付きのメッセージを送っておこう」

そう呟いて、「よいしょ」とソファーに腰掛ける。

出産は、結局勤め先の病院ですることになったのだが、ありがたいことに四月の異動で経験豊富な女性の産婦人科医が赴任してくれたので、心底ホッとしている。

実は予定日は明日なのだが、昨日まで全く前兆が無く、もしかして年越しをするつもりなのかとお腹の子に尋ねていたくらいだ。

しかし、今朝からお腹が少しずつ痛くなっている。

寝込むほどでもないので気晴らしにツリーを飾り付けていたのだが、そろそろ痛みの間隔が短くなってきた。

病院に連絡をしたほうがいいと判断してスマートフォンをタップする。直接主治医に連絡をすると、『荷物を持ってぼちぼち来て』と言われる。

タクシーで向かい、病室に落ち着いたところで一真に連絡をするのを忘れていたと思い至る。

連絡をすると秒で病院に向かうと言う一真に、『まだ時間はたっぷりあるから仕事をしっかりしてから来て！』と伝えた。

医師と助産師の訪問を待っていると、ほどなくして主治医がやってきた。

「白石先生！　いよいよですね。今の痛みは何分間隔ですか？」

「十分弱……いや、五分くらいです。朝から痛かったので、クリスマスツリーの飾り付けをして気を紛らわせていました」

「ふふっ、そうなんですね。ツリーは完成したんですか？」

「最後のお星さまがまだです」

「あ、残念！」

診察後、もう少し様子を見ましょうということになって医師は出て行った。

治美は郷里の母に来てほしいと連絡をした。その後、一真の祖父母には生まれたら知らせるので心配しないようにと伝えた。高齢の祖父母は病院に飛んで来たいだろうが、出産はまだ先だしできるだけ彼らに体の負担をかけたくない。

その後は、治美の入院を聞きつけた数人の医師や病棟看護師がちらっと顔を見せては帰っていく。夜勤の相原と美月が顔を出し、しばらくおしゃべりをして仕事に向かった。

痛みは断続的に続くけれど、こんな気休めはありがたい。

午後七時頃、一真が看護師に案内されてやってきた。

「治美！」

「あ、一真。おかえり！」

いつものように声をかけて、ここは病院だと思い直す。案内した看護師がクスクスと笑いながら部屋を出ていく。

「大丈夫か？」

「うん。痛みが断続的になってきた。イブには生まれてくれるかなぁ。あ、まだまだだから、一旦家に帰ってね」

「泊まるよ」

「疲れるからいいよ。明日は仕事があるんでしょう？」

「明日は休みを取ったから今夜は病院に泊まる」

一真が横になる場所はあるが、できれば自宅に帰ってゆっくり休んでほしい。出産が今夜になる可能性は低いはずだ。

「今夜生まれる可能性は低いと思うんだけど、じゃあ……母が来るまでいてくれる？」

「お義母さんが来てくれるのか？」

「うん。分娩室《ぶんべん》に入る前には一真に連絡してもらうからマンションに帰りなよ。でも、スマートフォンは枕元に置いて寝てね」

「……わかった」

午後九時前に母が来てくれた。その頃には痛みの間隔が狭くなっていたが、助産師が診て『まだまだですね』と冷静に言うので、一真は渋々マンションに帰った。

以前から治美の出産が一大イベントだと言っていたから、ずっと側に付く気でいたのだろう。しかし、今一真にできることは手を握ることとくらいしか無い。

治美は痛みを堪えて一夜を明かし、痛みに唸《うな》りながら朝食を頂く。食欲は全くなかったが、腹ペコでは力が出ないだろうと思って必死で食べた。

呼ばなくても一真が早朝にやって来たので、腰をさすってもらうと痛みが少しだけ落ち着いた。

断続的に痛みに襲われて、もう早く出て欲しいとそればかりを願っているのに、助産師がやってきて子宮口を診ては「また来ますね」と言って出ていく。

そうして時間が経ち、何だかお尻が寒いと感じた時には破水していた。一真がナースコールを押し、やって来た助産師が診てやっと言ってくれた。

「白石先生……じゃなかった、河野さん分娩室に行きましょう！」

8　クリスマスイブの思い出

最初から性別はわかっていたものの、娘が生まれた時には心底ホッとした。一真は顔を真っ赤にして泣く娘と対面すると、感極まって言葉を発することができなかった。

怒濤の出産を終え、マンションに戻ってきたのは師走の真っ只中。結局年末まで母にいてもらい、後は河野家の家政婦さんに食事を作ってもらいながら凌《しの》いでいたが、娘の世話で夫婦共々眠れないので死ぬかと思った。

体力オバケの一真もさすがに音を上げて、乳幼児の世話に特化した家政婦さんにしばらく来てもらうことになった。

一真の財力のおかげだが、あの時期に家政婦さん達に助けてもらわなかったら、高齢出産に引っかかる年齢の治美には耐えられない状況だったし、一年後に常勤医での復帰は不可能だった。

「ママー、だっこしてー！」

娘の紗香《さやか》が、ツリーの飾りを手に治美を呼ぶ。キッチンから飛んで行くと、頬を真っ赤にしてぴょんぴょんと跳ねている。

　明日の十二月二十四日が紗香の誕生日なので、クリスマスツリーは自分のバースディを祝うアイテムだと勘違いしている向きもあるが、相原から贈られたオーナメントは紗香の大のお気に入りだ。抱き上げると、手を伸ばしてツリーのてっぺんにキラキラのお星さまを載せた。

「完成したね」

「うん！」

　まるで自分が全部の飾りつけをしたみたいな顔でニコニコしているので、ついこちらも笑顔になる。紗香は明日で四歳になるが、大きな病気もせずに元気にすくすくと成長してくれた。彼女の成長は河野家のバックアップのおかげだ。

　幼稚園の送り迎えは一真の祖父が人を雇い対応してくれているし、古参の家政婦さんが作ってくれる常備菜のおかげで親子三人は栄養満点の食事ができている。

　紗香は曽祖父母を『じいじ』『ばあば』と呼んで大変懐いている。曽祖父母も紗香にメロメロで、明日にはプレゼントを手にマンションに来てくれるだろう。

　治美は以前と変わらず常勤医を続けているが、産休中に急成長をした薬師神が助けてくれるので、子供との時間がなんとかとれている。

　薬師神は治美が産休に入った時期から「独り立ちしろ」と合田に突き放されて地獄を見た。いわゆる『ライオンの子育て』だ。半泣きで電話をかけてくることが多く、治美はできるだけ助言を続けた。

今までは、甘えもあって本気を出していなかった感のある薬師神だったが、産休明けで出勤した治美が目を見張るほどに成長していたので、感慨もひとしおだった。

合田に「いい感じじゃない？」と声をかけると、満更でもなさそうに頬を緩めたので、スパルタ教育は功を奏したようだ。


そろそろ一真が帰ってくる時刻だ。窓に張り付いて外を眺めていた紗香がまた飛び跳ねている。何か面白いものでも見たのかと近づけば、ベランダに綿のような雪が舞い込んできた。

「ママー、ゆきだよ！」

「本当だ！　ホワイトクリスマスになるといいね」

耳新しい単語に、紗香がキョトンとこちらを見る。

「ほわいとくりすますってなに？」

「雪は白いでしょう？　クリスマスの日に雪が空から降ると、ホワイトクリスマスって言うのよ。お家の屋根が真っ白になったら綺麗だろうね」

「ほわいとくりすます！」

紗香は興奮した面持ちで飛び跳ねる。きっと彼女なりにその風景を想像しているのだろう。

パパとママが出会ったのはクリスマスの時期で、こんな雪が降っていたのよ。
いつか彼女に自分達の馴れ初めを話す日が来るのだろうか？　その時にも、こんなに幸せな心持ちでいられることを治美は願っていた。しかし、出会いの夜に一真が泥酔して泣いていたことは黙っておこう。

幼稚園で覚えたダンスを歌付きで踊る紗香を見守りながら、治美はそんなことを考えていたのだった。

「パパもうすぐかえってくる？」
「ええ。きっと、寒い寒いって震えながら帰ってくるわよ」

END

あとがき

こんにちは、連城寺のあです。

この度は『極上御曹司と恋に落ちる方法　外科女医《ゲカジョ》は拾ったイケメンに溺愛される』をお手に取っていただき、ありがとうございました。

若手外科医のヒロインと巨大企業の御曹司がひょんなことで出会い、ほぼ一目惚れで恋に落ちる、ちょっぴりコメディタッチの物語です。一度電子書籍化されたものに加筆修正をしたものになります。

ヒロインは私がこれまで書いたストーリーの中で最も非恋愛体質で、愚鈍なまでに仕事に忠実で、必要とあらば辛辣にもなれる強く可愛い女性です。

ヒーローの一真の方は、これまでの人生の全てで勝利をおさめてきたスパダリです。唯一彼が勝てなかったものは、致命的ですが父を失うことになった運命だけ。

そんな二人が雪の夜にコンビニの前で出会い、恋が生まれます。

ヒロインに対するヒーロの思い込みの激しさや押しの強さはかなりのものですが、それを広い心で受け入れるヒロインの器の大きさを楽しんでいただけたら嬉しいです。

また、デビュー作『同級生がヘンタイDr.になっていました』から沢山のサブキャラが登場していますので、彼らの活躍も楽しんでいただきたいです。

本作は蜜夢文庫さまで四冊目の文庫本となります。これまで執筆を続けてこられたのは、編集様はじめ関わってくださった全ての皆様、そして読者様のおかげです。

この場を借りまして、本作に関わって下さった全ての皆様に感謝申し上げます。今回も大変お世話になり、ありがとうございました。

イラストを担当くださったＳＨＡＢＯＮ様、素晴らしい表紙をありがとうございました。大人可愛い白石治美を描いてくださり感激しました。挿絵の完成版を拝見するのが今から楽しみです。

そして読者様、いつもありがとうございます！

この物語がほんの僅かでも皆様の心に響くことができたなら、作者にとってこれ以上の喜びはありません。楽しんでいただけますように！

連城寺のあ

ムーンドロップス作品
コミカライズ版！

〈ムーンドロップス〉の人気作品が漫画でも読めます！
お求めの際はお近くの書店または電子書店にて。

治療しなくちゃいけないのに、
皇帝陛下に心を乱されて♡

宮廷女医の甘美な治療で皇帝陛下は奮い勃つ

三夏［漫画］／月乃ひかり［原作］

〈あらすじ〉
田舎の領地で診療所を開く女医のジュリアンナ。おまじないのキスでどんな病気も治すという彼女のもとにクラウスという公爵が訪れる。彼から、若き皇帝陛下・クラウヴェルトの〝勃たない〟男性器の治療をお願いされてしまった！　戸惑うジュリアンナに対し、皇帝陛下は男を興奮させるための手ほどきを…!?

孤立無援 OL が憧れの部長の花嫁に
ここは、私の願いが叶う世界

異世界で愛され姫になったら現実が変わりはじめました。上・下

澤村鞠子［漫画］／兎山もなか［原作］

〈あらすじ〉
真面目で負けず嫌いな性格ゆえに、会社で孤立している黒江奈ノ花。そんな彼女の心の支えは、隣の部の部長・和久蓮司の存在。ある日、先輩社員の嫌がらせで残業になった奈ノ花は、癒しを求めて和久のコートを抱きしめている現場を本人に見られる！　その夜、恥ずかしさと後悔で泣きながら眠りに落ちると、なぜか裸の和久に迫られる夢を見てしまい…!?　夢の中で奈ノ花は、和久そっくりなノズワルド王国の次期王・グレンの婚約者になっていた！

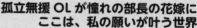

蜜夢文庫　最新刊！

強面上司の甘いささやき

「その艶声は困ります」

kowamote joshi no amai sasayaki

西條六花［著］
堤［画］

ウェブデザイナーの知紗は、仕事に燃えているものの支社長で鬼上司としてスタッフに怖がられている久原にダメ出しされてばかり。そんななか、祖母の家で行われた法事に出席すると、読経するやたら声のいい僧侶は久原だった。週明け、会社でそのことを訊ねた知沙に久原は、実家を継いだ兄が入院中のため、僧侶の資格を持つ自分が手伝っていると説明する。会社ではそのことを秘密にして欲しいと頼まれた知紗は、黙っている代わりに久原にもっと愛想をよくして欲しいという条件を出す。イケメンで仕事ができるのに無愛想すぎる支社長と、頑張り屋女子のヒミツから始まる甘い恋！

コミックス最新刊　絶賛発売中！

真面目すぎるイケメン書道家×失恋した処女の書店員
初心者同士のじれったい恋ときどき大胆で……♥♥♥

初心なカタブツ書道家は 奥手な彼女と恋に溺れる

山冨［漫画］／西條六花［原作］

〈あらすじ〉

婚約者だと思っていた幼馴染に裏切られた晴香は、彼を見返すため書道合コンに参加することに。そこで変な参加者にからまれて困っていたところを講師の書道家・瑛雪に救われる。仕事に対する姿勢も相まって憧れを抱き、合コンだけでなく正式に書道教室に申し込みをした晴香。ある日、教室の廊下で転んで事故でキスをしてしまう二人!! 謝罪する流れでうっかり"はじめて"だったと漏らした晴香に、彼からも驚きの告白がされて……!?

〈原作小説〉
絶賛発売中！

恋愛天国

オトナ女子に癒しのひととき♪

胸きゅんWEBコミックマガジン!!

Kindleにてお求めください。

絶賛連載中!「少年魔王と夜の魔王 嫁き遅れ皇女は二人の夫を全力で愛す」「ひねくれ魔術師は今日もデレない　愛欲の呪いをかけられて」「処女ですが復讐のため上司に抱かれます!」「私を（身も心も）捕まえたのは史上最強の悪魔Dr.でした」「溺愛蜜儀　神様にお仕えする巫女ですが、欲情した氏子総代と秘密の儀式をいたします!」「添い寝契約 年下の隣人は眠れぬ夜に私を抱く」「王立魔法図書館の［錠前］に転職することになりまして」

蜜夢文庫 作品コミカライズ版！

〈蜜夢文庫〉の人気作品が漫画でも読めます！

お求めの際はお近くの書店または電子書店にて。

人気茶葉店の店主×内気な OL
「あの雨の日、彼は静かに泣いていた……」
優しい茶葉店の店主が私限定で獰猛に！

眼鏡男子のお気に入り
茶葉店店主の溺愛独占欲

モユ［漫画］ ／ 西條六花［原作］

〈原作小説〉
絶賛発売中！

〈あらすじ〉

「こんなきれいな身体なんだから自信を持っていい」。

イベント企画会社で働く莉子は引っ込み思案で男性と交際したことがない。会社が主催する中国茶教室に参加して興味を持った莉子は、講師の響生に誘われ、彼が経営する茶葉店に通いはじめる。穏やかな人柄の響生に少しずつ心を開くようになった莉子だったが…。

西條六花原作「眼鏡男子のお気に入り 茶葉店店主の溺愛独占欲」のコミカライズ！

甘くてビターな溺愛ストーリー♡

本書は、電子書籍レーベル「らぶドロップス」より発売された電子書籍『極上御曹司と恋に落ちる方法　アラサー外科女医の恋愛作法』を元に、加筆・修正したものです。

★著者・イラストレーターへのファンレターやプレゼントにつきまして★
著者・イラストレーターへのファンレターやプレゼントは、下記の住所にお送りください。いただいたお手紙やプレゼントは、できるだけ早く著作者にお送りしておりますが、状況によって時間が掛かる場合があります。生ものや賞味期限の短い食べ物をご送付いただきますと著者様にお届けできない場合がございますので、何卒ご理解ください。

送り先
〒160-0004　東京都新宿区四谷3-14-1　UUR四谷三丁目ビル2階
（株）パブリッシングリンク　蜜夢文庫 編集部
〇〇（著者・イラストレーターのお名前）様

極上御曹司と恋に落ちる方法
外科女医《ゲカジョ》は拾ったイケメンに溺愛される
２０２３年７月１７日　初版第一刷発行

著……連城寺のあ
画……ＳＨＡＢＯＮ
編集……株式会社パブリッシングリンク
ブックデザイン……しおざわりな
（ムシカゴグラフィクス）
本文ＤＴＰ……ＩＤＲ

発行人……後藤明信
発行……株式会社竹書房
〒102-0075　東京都千代田区三番町８－１
三番町東急ビル６Ｆ
email：info@takeshobo.co.jp
http://www.takeshobo.co.jp
印刷・製本……中央精版印刷株式会社

■本書掲載の写真、イラスト、記事の無断転載を禁じます。
■落丁・乱丁があった場合は、furyo@takeshobo.co.jp までメールにてお問い合わせください
■本書は品質保持のため、予告なく変更や訂正を加える場合があります。
■定価はカバーに表示してあります。
© Noa Renjoji 2023
Printed in JAPAN